manuel
de l'élève
volume

Culture, société
et technique

MATHÉMATIQUE

3ᵉ année du 2ᵉ cycle
du secondaire

Claude Boivin
Dominique Boivin
Antoine Ledoux
Étienne Meyer
François Pomerleau
Vincent Roy

LES ÉDITIONS
CEC
Une compagnie de Quebecor Media

9001, boul. Louis-H.-La Fontaine, Anjou (Québec) Canada H1J 2C5
Téléphone: 514-351-6010 • Télécopieur: 514-351-3534

Direction de l'édition
Véronique Lacroix

Direction de la production
Danielle Latendresse

Direction de la coordination
Rodolphe Courcy

Charge de projet
Dany Cloutier
Diane Karneyeff

Correction d'épreuves
Viviane Deraspe

Conception et réalisation
Dessine-moi un mouton

Illustrations techniques
Stéphan Vallières

Illustrations d'ambiance
Rémy Guenin

Cartes géographiques
Les Studios Artifisme

Recherche iconographique
Esther Ste-Croix

Les auteurs et l'éditeur remercient les personnes suivantes qui ont participé à l'élaboration du projet.

Collaborateur expert
Richard Cadieux, enseignant, École secondaire
Jean-Baptiste-Meilleur, c. s. des Affluents

Consultation scientifique
Matthieu Dufour, professeur, UQAM

Consultation pédagogique
Josée Bédard, enseignante, École secondaire
Les Etchemins, c. s. des Navigateurs

Geneviève Morneau, enseignante, École secondaire
Mgr-Richard, c. s. Marguerite-Bourgeoys

Stéphane Rompré, enseignant, École secondaire
Léopold-Gravel, c. s. des Affluents

Mélanie Tremblay, professeure, UQAR

Dans cet ouvrage, la féminisation des titres de fonctions et des textes s'appuie sur des règles d'écriture proposées par l'Office de la langue française dans le guide *Au féminin*, Les Publications du Québec, 1991.

Les Éditions CEC inc. remercient le gouvernement du Québec de l'aide financière accordée à l'édition de cet ouvrage par l'entremise du Programme de crédit d'impôt pour l'édition de livres, administré par la SODEC.

Visions, Culture, société et technique, manuel de l'élève, volume 2, 3e année du 2e cycle du secondaire
© 2010, Les Éditions CEC inc.
9001, boul. Louis-H.-La Fontaine
Anjou (Québec) H1J 2C5

Dépôt légal: 2010
Bibliothèque et Archives nationales du Québec
Bibliothèque et Archives Canada

ISBN 978-2-7617-2800-3

Imprimé au Canada
1   2   3   4   5   14   13   12   11   10

TABLE DES MATIÈRES

volume 2

Les graphes 2
    Graphes

RÉVISION 4
- Diagramme en arbre et réseau
- Polygone
- Solide

SECTION 3.1
Les caractéristiques d'un graphe 12
- Graphe
- Graphe connexe
- Graphe complet

SECTION 3.2
Les chaînes et les cycles 22
- Chaîne simple et cycle simple
- Chaîne eulérienne et cycle eulérien
- Chaîne hamiltonienne et cycle hamiltonien

SECTION 3.3
Les graphes valués
et les graphes orientés 33
- Arbre
- Graphe orienté
- Graphe valué

SECTION 3.4
L'optimisation à l'aide de graphes 45
- Chaîne de valeur minimale
- Arbre de valeurs minimales ou maximales
- Nombre chromatique
- Chemin critique

CHRONIQUE DU PASSÉ
Claude Berge 60

LE MONDE DU TRAVAIL
Les directeurs techniques
de salles de spectacles 62

VUE D'ENSEMBLE 64

BANQUE DE PROBLÈMES . . 74

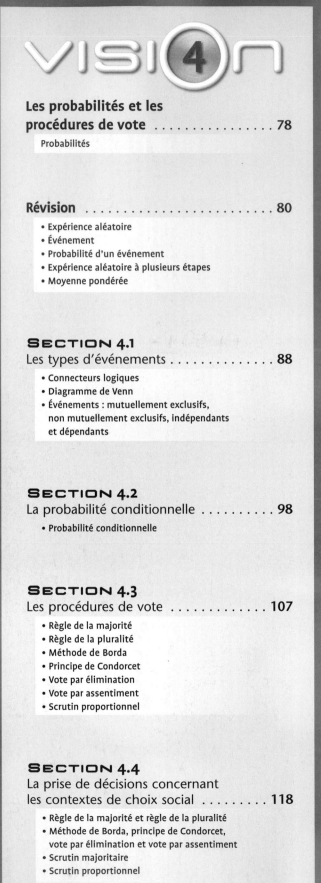

VISI4N

Les probabilités et les procédures de vote 78

    Probabilités

Révision 80

- Expérience aléatoire
- Événement
- Probabilité d'un événement
- Expérience aléatoire à plusieurs étapes
- Moyenne pondérée

SECTION 4.1
Les types d'événements 88

- Connecteurs logiques
- Diagramme de Venn
- Événements : mutuellement exclusifs, non mutuellement exclusifs, indépendants et dépendants

SECTION 4.2
La probabilité conditionnelle 98

- Probabilité conditionnelle

SECTION 4.3
Les procédures de vote 107

- Règle de la majorité
- Règle de la pluralité
- Méthode de Borda
- Principe de Condorcet
- Vote par élimination
- Vote par assentiment
- Scrutin proportionnel

SECTION 4.4
La prise de décisions concernant les contextes de choix social 118

- Règle de la majorité et règle de la pluralité
- Méthode de Borda, principe de Condorcet, vote par élimination et vote par assentiment
- Scrutin majoritaire
- Scrutin proportionnel

CHRONIQUE DU PASSÉ
Nicolas de Condorcet 128

LE MONDE DU TRAVAIL
Les politiciens 130

VUE D'ENSEMBLE 132

BANQUE DE PROBLÈMES . . 140

ALBUM 145
Technologies 146
Savoirs 152

PRÉSENTATION D'UNE VISION

Ce manuel comporte deux *Visions*. Chaque *Vision* propose diverses SAÉ, une «Révision», des «Sections» et les rubriques particulières «Chronique du passé», «Le monde du travail», «Vue d'ensemble» et «Banque de problèmes». Le manuel se termine par un «Album».

LA RÉVISION

La «Révision» permet de réactiver des connaissances et des stratégies qui seront fréquemment utilisées dans la *Vision*. Cette rubrique comporte quelques activités de réactivation de connaissances antérieures, des **Savoirs en rappel** qui résument des éléments théoriques réactivés et une **Mise à jour** constituée d'exercices de renforcement sur les notions réactivées.

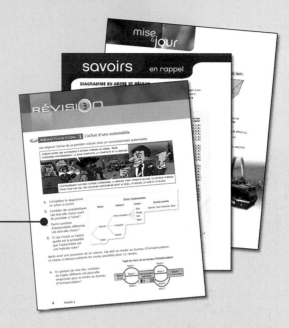

LES SECTIONS

Une *Vision* comporte des «Sections», chacune commençant par un **Problème** suivi de quelques **Activités** et des rubriques **Technomath**, **Savoirs** et **Mise au point.** Chaque «Section», associée à une SAÉ, contribue au développement des compétences disciplinaires et transversales ainsi qu'à l'appropriation des notions mathématiques qui sous-tendent le développement de ces mêmes compétences.

Problème

La première page de la section présente un problème déclencheur comportant une seule question. La résolution de ce problème nécessite le recours à différentes compétences et à différentes stratégies, et mobilise des connaissances.

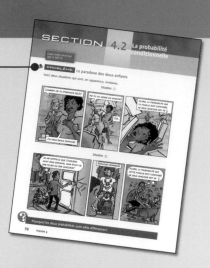

Activité

Les activités contribuent au développement des compétences disciplinaires et transversales, nécessitent le recours à différentes stratégies, mobilisent diverses connaissances et favorisent la compréhension des notions mathématiques. Elles peuvent prendre plusieurs formes : questionnaire, manipulation de matériel, simulation, texte historique, etc.

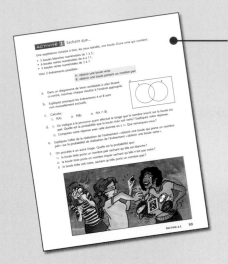

Technomath

La rubrique **Technomath** permet d'exploiter des outils technologiques tels qu'une calculatrice graphique, un logiciel de géométrie dynamique ou un tableur en montrant comment les utiliser et en proposant quelques questions en lien direct avec les notions mathématiques associées au contenu de la section.

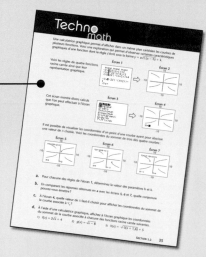

Savoirs

La rubrique **Savoirs** présente un résumé des éléments théoriques vus dans la section. Des exemples accompagnent les énoncés théoriques afin de favoriser la compréhension des différentes notions.

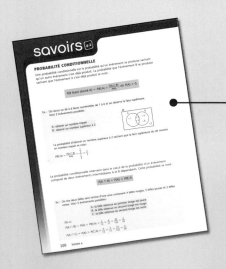

Mise au point

La rubrique **Mise au point** propose une série d'exercices et de problèmes contextualisés favorisant le développement des compétences et la consolidation des apprentissages faits dans la section.

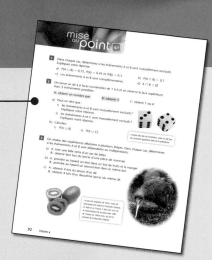

LES RUBRIQUES PARTICULIÈRES

Chronique du passé

La rubrique « Chronique du passé » relate l'histoire de la mathématique et la vie de certains mathématiciens qui ont contribué au développement de notions mathématiques directement associées au contenu de la *Vision*. Une série de questions permettant d'approfondir le sujet accompagne cette rubrique.

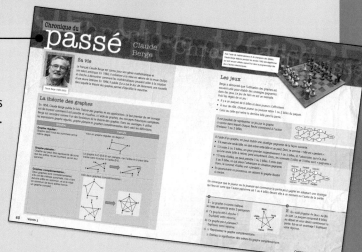

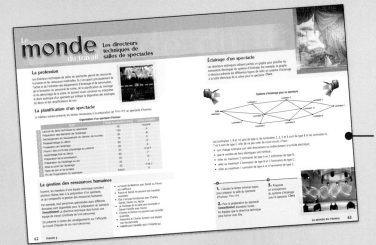

Le monde du travail

La rubrique « Le monde du travail » présente une profession ou un métier où sont exploitées les notions mathématiques étudiées dans la *Vision*. Une série de questions permettant d'approfondir le sujet accompagne cette rubrique.

Vue d'ensemble

La rubrique « Vue d'ensemble » présente une série d'exercices et de problèmes contextualisés permettant d'intégrer et de réinvestir les compétences développées et toutes les notions mathématiques étudiées dans la *Vision*.

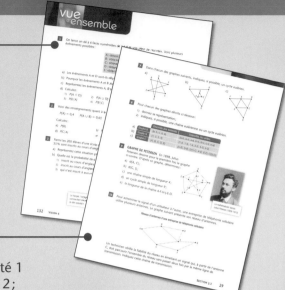

Dans les rubriques **Mise à jour, Mise au point,** « Vue d'ensemble » et « Banque de problèmes » :

- un numéro dans un carré bleu indique une priorité 1 et un numéro dans un carré orange, une priorité 2 ;
- lorsqu'un problème comporte des faits réels, un mot clé écrit en lettres majuscules et en rouge indique le sujet auquel il se rapporte.

Banque de problèmes

Cette rubrique clôt chaque *Vision* et présente des problèmes, pour la plupart contextualisés, qui privilégient chacun la résolution, le raisonnement ou la communication.

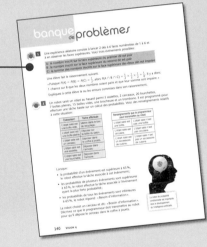

Répertoire des SAÉ

Le « Répertoire des SAÉ », présenté dans le *Guide d'enseignement*, regroupe des SAÉ qui sont liées par un fil conducteur thématique et dont chacune cible un domaine général de formation, une compétence disciplinaire et deux compétences transversales. Les apprentissages réalisés dans les sections aident à la réalisation des tâches proposées dans les SAÉ.

L'ALBUM

Situé à la fin du manuel, l'«Album» contient plusieurs outils qui viennent appuyer l'élève dans ses apprentissages. Il comporte deux parties distinctes.

La partie «Technologies» fournit des explications sur les principales fonctions de la calculatrice graphique, et sur l'utilisation d'un tableur et d'un logiciel de géométrie dynamique.

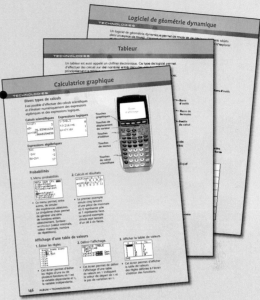

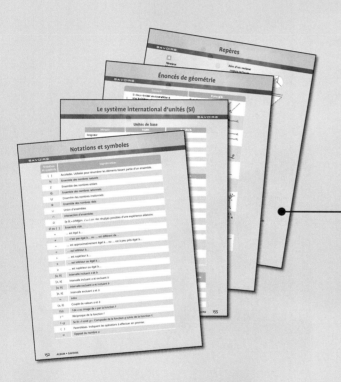

La partie «Savoirs» présente les notations et les symboles utilisés dans le manuel, ainsi que ceux du système international d'unités (SI). Des énoncés de géométrie sont également proposés. Cette partie se termine par un glossaire et un index.

LES PICTOGRAMMES

 Indique qu'une fiche de travail est offerte dans le *Guide d'enseignement*.

 Indique que l'activité peut se faire en travail coopératif. Des précisions à ce sujet sont données dans le *Guide d'enseignement*.

 Indique que certains aspects de la compétence disciplinaire 1 sont mobilisés.

 Indique que certains aspects de la compétence disciplinaire 2 sont mobilisés.

 Indique que certains aspects de la compétence disciplinaire 3 sont mobilisés.

VISI(3)N

Les graphes

Comment doit-on relier les ordinateurs d'un réseau pour éviter la perte de données tout en minimisant le nombre de connexions ? Comment établit-on le nombre minimal de couleurs nécessaires pour colorier la carte géographique d'un continent si deux pays limitrophes doivent être de couleurs différentes ? Comment organiser les étapes de construction d'un pont pour que les travaux s'effectuent le plus rapidement possible ? Dans *Vision 3*, vous analyserez des situations qui peuvent être représentées à l'aide de graphes. Vous explorerez différents types de graphes et apprendrez à traduire et à résoudre des situations complexes à l'aide de graphes. Finalement, vous utiliserez les graphes pour optimiser diverses situations.

Arithmétique et algèbre

Géométrie

Graphes

Probabilités

- Représentation et modélisation d'une situation à l'aide d'un graphe
- Graphe orienté et graphe valué
- Optimisation et prise de décisions
- Chaîne ou cycle eulérien et hamiltonien
- Arbre et chemin critique
- Graphe coloré et nombre chromatique

RÉPERTOIRE
DES SAÉ

Les réseaux
de transport

Chronique du
passé

Claude Berge

Le
monde
du travail

Les directeurs techniques
de salles de spectacles

RÉACTIVATION 1 **L'achat d'une automobile**

Léa négocie l'achat de sa première voiture chez un concessionnaire automobile.

J'HÉSITE ENTRE UNE AUTOMOBILE À MOTEUR HYBRIDE OU DIESEL. TROIS CATÉGORIES M'INTÉRESSENT : LA SOUS-COMPACTE, LA COMPACTE ET LA BERLINE.

CONTRAIREMENT AUX DEUX AUTRES CATÉGORIES, LA BERLINE N'EST OFFERTE QU'AVEC LE MOTEUR HYBRIDE. DANS TOUS LES CAS, LES COULEURS DISPONIBLES SONT LE BLEU, LE ROUGE, LE NOIR ET LE BLANC.

a. Complétez le diagramme en arbre ci-contre.

b. Combien de caractéristiques Léa doit-elle choisir avant de procéder à l'achat ?

c. Parmi combien d'automobiles différentes Léa doit-elle choisir ?

d. Si Léa choisit au hasard, quelle est la probabilité que l'automobile soit une hybride noire ?

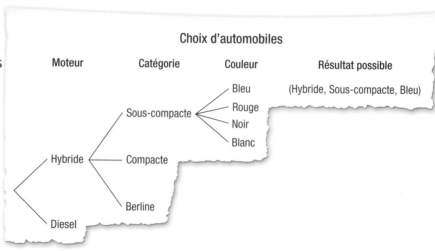

Choix d'automobiles

Moteur	Catégorie	Couleur	Résultat possible

Sous-compacte — Bleu, Rouge, Noir, Blanc
(Hybride, Sous-compacte, Bleu)

Hybride — Compacte

Berline

Diesel

Après avoir pris possession de sa voiture, Léa doit se rendre au bureau d'immatriculation. Le réseau ci-dessous présente les routes possibles pour s'y rendre.

e. En partant de chez elle, combien de trajets différents Léa peut-elle emprunter pour se rendre au bureau d'immatriculation ?

Trajet de chez Léa au bureau d'immatriculation

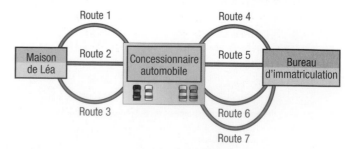

RÉACTIVATION 2 La relation d'Euler

Leonhard Euler a démontré qu'il est possible de déterminer le nombre de faces d'un polyèdre d'après le nombre de sommets et d'arêtes qu'il a. Voici cette relation :

Nombre de faces = (nombre d'arêtes) − (nombre de sommets) + 2

a. Complétez le tableau suivant.

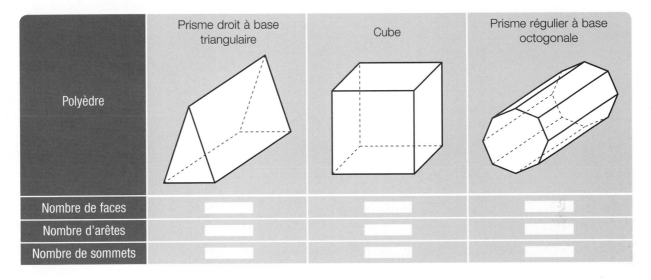

Polyèdre	Prisme droit à base triangulaire	Cube	Prisme régulier à base octogonale
Nombre de faces			
Nombre d'arêtes			
Nombre de sommets			

b. Montrez que la relation d'Euler s'applique à ces trois polyèdres.

c. Combien de sommets un polyèdre ayant 8 faces et 12 arêtes comporte-t-il ?

d. Combien d'arêtes un polyèdre ayant 11 faces et 11 sommets comporte-t-il ?

e. Représentez un polyèdre formé de :
   1) 10 sommets et 7 faces ;
   2) 8 faces et 14 arêtes.

f. Vérifiez si la relation d'Euler s'applique à un cylindre circulaire droit.

Leonhard Euler (1707-1783), d'origine suisse, est considéré comme l'un des plus grands mathématiciens de tous les temps. Familier des Bernoulli, il passe la plus grande partie de sa vie en Allemagne et en Russie. Devenu presque aveugle vers 1735, il compense cette difficulté par son étonnante mémoire et ses compétences en calcul mental. Euler a fait d'importantes découvertes dans le domaine de la théorie des graphes.

DIAGRAMME EN ARBRE ET RÉSEAU

Il est possible de représenter une expérience à plusieurs étapes à l'aide d'un diagramme en arbre ou d'un réseau. L'ensemble de tous les résultats possibles d'une expérience à plusieurs étapes peut s'écrire entre accolades où chacun des éléments est séparé des autres par une virgule.

Ex.:

1) On veut choisir au hasard un chandail parmi 4, un pantalon parmi 3 et un manteau parmi 2.

Diagramme en arbre

Choix du chandail	Choix du pantalon	Choix du manteau	Résultats possibles
C_1	P_1	M_1	(C_1, P_1, M_1)
		M_2	(C_1, P_1, M_2)
	P_2	M_1	(C_1, P_2, M_1)
		M_2	(C_1, P_2, M_2)
	P_3	M_1	(C_1, P_3, M_1)
		M_2	(C_1, P_3, M_2)
C_2	P_1	M_1	(C_2, P_1, M_1)
		M_2	(C_2, P_1, M_2)
	P_2	M_1	(C_2, P_2, M_1)
		M_2	(C_2, P_2, M_2)
	P_3	M_1	(C_2, P_3, M_1)
		M_2	(C_2, P_3, M_2)
C_3	P_1	M_1	(C_3, P_1, M_1)
		M_2	(C_3, P_1, M_2)
	P_2	M_1	(C_3, P_2, M_1)
		M_2	(C_3, P_2, M_2)
	P_3	M_1	(C_3, P_3, M_1)
		M_2	(C_3, P_3, M_2)
C_4	P_1	M_1	(C_4, P_1, M_1)
		M_2	(C_4, P_1, M_2)
	P_2	M_1	(C_4, P_2, M_1)
		M_2	(C_4, P_2, M_2)
	P_3	M_1	(C_4, P_3, M_1)
		M_2	(C_4, P_3, M_2)

Ensemble des résultats possibles: $\{(C_1, P_1, M_1), (C_1, P_1, M_2), (C_1, P_2, M_1), ..., (C_4, P_3, M_2)\}$

2) On veut déterminer le nombre de chemins possibles pour se rendre de la ville A à la ville C en passant par la ville B. Il y a trois routes qui relient la ville A à la ville B et deux routes qui relient la ville B à la ville C.

Réseau

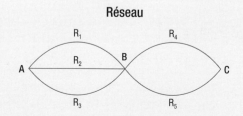

Ensemble des résultats possibles: $\{(R_1, R_4), (R_1, R_5), (R_2, R_4), (R_2, R_5), (R_3, R_4), (R_3, R_5)\}$

POLYGONE

Un polygone est une figure plane formée par une ligne brisée fermée.

Dans un polygone:

- un sommet est le point de rencontre de deux côtés;
- des côtés sont adjacents s'ils ont un sommet commun;
- des angles sont consécutifs s'ils ont un côté commun.

Ex.:

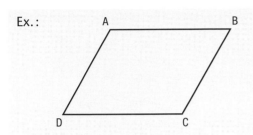

Dans le quadrilatère ABCD:

- $\overline{AB}$ et $\overline{AD}$ sont des côtés adjacents;
- $\angle B$ et $\angle C$ sont des angles consécutifs.

SOLIDE

Un solide est une portion d'espace limitée par une surface fermée.

Ex.: 1) 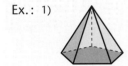 2) 3) 4) 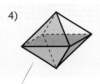 5) 6)

On peut décrire un solide à l'aide de faces, d'arêtes et de sommets.

Face
Une face est une surface plane ou courbe délimitée par des arêtes.

Arête
Une arête est la ligne d'intersection entre deux faces d'un solide.

Sommet
Un sommet est un point commun à au moins deux arêtes d'un solide.

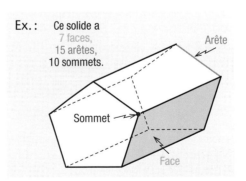

Ex.: Ce solide a
7 faces,
15 arêtes,
10 sommets.

Polyèdre

Un polyèdre est un solide limité par des faces planes qui sont des polygones.

Ex.: 1) 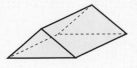 2) 3)

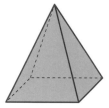

mise à jour

1 Pour chacun des polyèdres ci-dessous, déterminez:

> 1) le nombre de sommets;   2) le nombre d'arêtes;   3) le nombre de faces.

a)   b)   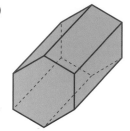   c)

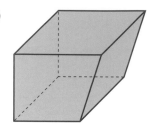

2 Dans chaque cas, déterminez l'ensemble de tous les résultats possibles.

a) On tire au hasard une bille d'un sac qui contient une bille rouge, une bille jaune et une bille verte. On tire ensuite une carte dans un jeu de 52 cartes. On note la couleur de la bille et si la carte est rouge ou noire.

b) On lance deux dés numérotés de 1 à 6 et on s'intéresse à la somme des résultats obtenus.

c) On lance une pièce de monnaie et un dé numéroté de 1 à 6. On note les deux résultats obtenus.

d) On choisit au hasard un nombre divisible par 7 parmi les 50 premiers nombres naturels.

3 Pour se rendre à son lieu de travail, Joséphine utilise le transport en commun. De chez elle à l'arrêt A, elle peut emprunter 3 trajets d'autobus. De l'arrêt A à l'arrêt B, elle peut emprunter 4 trajets d'autobus. De l'arrêt B à son lieu de travail, elle peut emprunter 2 trajets d'autobus.

a) Représentez cette situation à l'aide d'un réseau.

b) Combien de trajets différents Joséphine peut-elle emprunter pour se rendre au travail?

Un tramway relie Manhattan et Roosevelt Island, à New York. Construit en 1976 comme solution de transport en commun provisoire pour les résidants de l'île, le tramway a subsisté après l'ouverture d'une ligne de métro à la fin des années 1980. Il s'agit du seul téléphérique urbain en Amérique du Nord.

4 Une lapine donne naissance à des lapereaux. Ceux-ci peuvent être des mâles ou des femelles, avoir les yeux rouges ou bruns et un pelage crème ou noir.

a) Tracez le diagramme en arbre associé à cette situation.

b) Combien de lapereaux d'apparence différente cette lapine peut-elle avoir?

c) Quelle est la probabilité que cette lapine donne naissance à un lapereau aux yeux rouges et au pelage noir?

5 Représentez une pyramide formée de :

a) 6 faces ; b) 5 sommets ; c) 10 arêtes.

6 Pour chacun des développements de polyèdres suivants, indiquez :

a)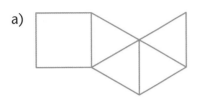

b)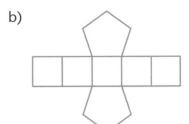

c)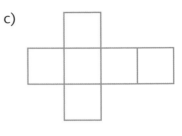

7 On présente ci-contre la charpente d'une structure métallique.

a) Combien de poutres cette charpente compte-t-elle ?

b) Quelle est la longueur totale des poutres qui forment cette charpente ?

c) En combien d'endroits y a-t-il exactement :

1) 3 poutres qui se rencontrent ?

2) 4 poutres qui se rencontrent ?

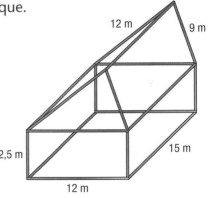

8 Le diagramme en arbre ci-dessous présente toutes les planches à neige différentes qu'on peut acheter dans un magasin.

a) Combien de caractéristiques comporte une planche à neige ?

b) Combien de planches à neige différentes ce magasin vend-il ?

c) Combien de planches à neige différentes :

1) sont de spécialité acrobatique ?

2) sont munies de fixations à plaque ?

3) sont courtes et sont munies de fixations à coque ?

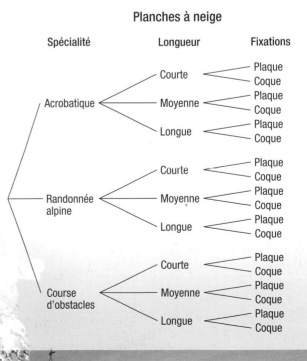

9 Dessinez le développement de chacun des solides suivants.

a)

b)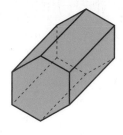

c)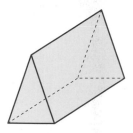

10 Pour chacun des polygones ci-dessous :

1) indiquez le nombre de sommets ;

2) déterminez le nombre de diagonales qu'il est possible de tracer ;

3) indiquez une paire de côtés adjacents ;

4) nommez deux angles consécutifs.

a)

b)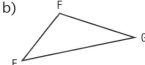

c)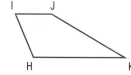

d)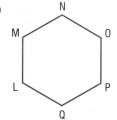

11 Le code d'une serrure électronique est composé de quatre caractères. Le premier caractère est une consonne, le deuxième est un nombre pair de 0 à 9, le troisième est une voyelle et le dernier est un nombre impair de 0 à 9. Combien de codes différents cette serrure peut-elle avoir ?

12 Le schéma ci-dessous montre les routes qui relient différentes villes. Combien de routes doit-on ajouter pour que chaque ville ait un lien routier direct avec chacune des autres villes ?

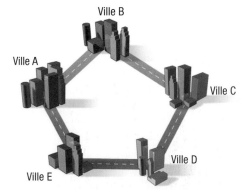

13 Pour montrer divers styles de coiffures à ses clients, une coiffeuse utilise un logiciel informatique qui permet d'appliquer à un personnage virtuel 12 coupes de cheveux, 8 couleurs de teintures et la possibilité d'ajouter ou non des rallonges aux cheveux naturels. De combien de façons différentes est-il possible de coiffer ce personnage virtuel ?

14 Dans une section d'un zoo, il y a des éléphants, des gazelles et des macaques.
Le diagramme en arbre ci-dessous présente des caractéristiques de ces animaux.

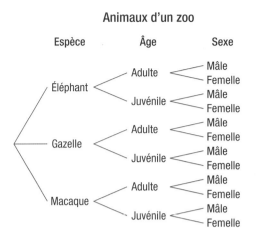

Animaux d'un zoo

| Espèce | Âge | Sexe |

Chez certaines espèces d'animaux sauvages, la reproduction en captivité est problématique étant donné que les conditions de vie de leur milieu naturel ne sont pas recréées dans un environnement contrôlé.

Une personne prend une photo dans cette section du zoo.

a) Combien d'animaux différents est-il possible de photographier si l'on tient compte de l'espèce, de l'âge et du sexe?

b) Parmi l'ensemble des résultats possibles, combien de photos montrent:

1) un adulte?

2) un macaque adulte?

3) un éléphant mâle?

15 Représentez un solide formé de:

a) 0 arête et 0 sommet;   b) 2 arêtes et 0 sommet.

16 Diego choisit trois cours parmi les choix suivants: karaté, plongeon, hip-hop et cyclisme.

a) Représentez cette situation à l'aide d'un diagramme en arbre.

b) Parmi combien de possibilités différentes Diego peut-il choisir?

17 Pour la publication d'une bande dessinée:

- la couverture peut être cartonnée ou plastifiée;
- l'impression peut se faire en deux, trois ou cinq couleurs;
- le papier peut être mat ou glacé.

a) Combien de publications différentes est-il possible de produire?

b) Sachant qu'une couverture cartonnée coûte 6 $ et une couverture plastifiée, 10 $, que l'impression en deux couleurs coûte 5 $, en trois couleurs, 8 $, en cinq couleurs, 10 $, et que le papier mat coûte 8 $ et le papier glacé, 14 $, déterminez les combinaisons qui engendrent le même coût de publication.

SECTION 3.1 Les caractéristiques d'un graphe

Cette section est en lien avec la SAÉ 7.

PROBLÈME Le métro de Montréal

Le métro de Montréal est composé de 4 lignes et de 68 stations. Une couleur spécifique est associée à chaque ligne : orange, bleu, vert et jaune. Au cours d'un déplacement, il est possible de changer de ligne aux stations de correspondance. On présente ci-contre la carte du métro de Montréal.

Stations de correspondance
- Jean-Talon
- Snowdon
- Berri-UQAM
- Lionel-Groulx

Terminus
- Ligne jaune : Longueuil-Université-de-Sherbrooke et Berri-UQAM
- Ligne orange : Montmorency et Côte-Vertu
- Ligne bleue : Saint-Michel et Snowdon
- Ligne verte : Angrignon et Honoré-Beaugrand

Cinq personnes doivent se rencontrer à la station Snowdon. Voici des renseignements sur leurs déplacements :

- Chaque personne ne peut passer deux fois par la même station, à l'exception des stations de correspondance.
- Antoine part de la station Montmorency, passe par une seule station de correspondance et arrive à destination.
- Cloé part de la station Honoré-Beaugrand, passe par deux stations de correspondance et arrive à destination.
- Dominic part de la station Longueuil-Université-de-Sherbrooke, passe par un minimum de stations de correspondance et arrive à destination.
- Julie part de la station Côte-Vertu et arrive à destination.
- Véronique part de la station Angrignon, emprunte au moins deux stations de correspondance et arrive à destination.

Déterminez tous les trajets que chaque personne a pu emprunter.

ACTIVITÉ **1** Les Émirats arabes unis

Ces dernières années, les Émirats arabes unis ont mis en chantier plusieurs projets touristiques d'envergure. Le projet Le Monde, dont la construction a commencé en 2003, est l'un de ces projets sans précédent. Cet archipel de 300 îles artificielles, qui représente la carte du monde, se situe dans le golfe Persique, au large de l'émirat de Dubaï. Des bateaux permettent de se déplacer d'une île à l'autre.

Vue aérienne du projet Le Monde

Représentation des trajets possibles en bateau dans le secteur 1

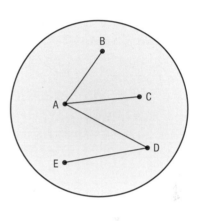

a. Dans la représentation du secteur 1, à quoi correspondent :

1) les points ?   2) les lignes ?

b. Sur quelles îles une personne peut-elle se rendre directement si elle se trouve :

1) sur l'île A ?   2) sur l'île D ?   3) sur l'île E ?

c. Est-il possible, quelle que soit l'île du secteur 1, d'atteindre n'importe quelle autre île de ce secteur ? Expliquez votre réponse.

d. Dans ce secteur, combien de trajets en bateau devrait-on ajouter pour pouvoir se déplacer directement de n'importe quelle île vers n'importe quelle autre île ?

La ville de Dubaï est reconnue pour l'ampleur de ses projets immobiliers, dont le Dubaï Marina, un projet de voie navigable entourée d'immeubles résidentiels et d'hôtels construits dans le désert.

savoirs 3.1

GRAPHE

Un **graphe** correspond à un ensemble d'éléments et à un ensemble de liens entre ces éléments.

Dans la représentation graphique d'un graphe :

- les points, appelés **sommets**, correspondent aux éléments de l'ensemble et les lignes, appelées **arêtes**, aux liens qui existent entre ces éléments ;
- les sommets sont généralement identifiés par une lettre minuscule, une lettre majuscule, un nombre ou un mot ;
- les arêtes sont généralement nommées à l'aide des lettres qui identifient ses extrémités dans n'importe quel ordre.

Ex. : 1) Dans le graphe ci-dessous :
- A, B, C, D et E sont des sommets ;
- A-B, B-C et C-D sont des arêtes.

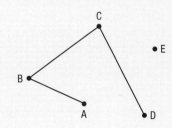

2) Dans le graphe ci-dessous :
- 1, 2 et 3 sont des sommets ;
- 1-2 et 1-3 sont des arêtes.

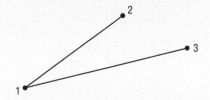

Voici différentes caractéristiques qui peuvent être associées à un graphe :

- l'**ordre** d'un graphe correspond au nombre de sommets ;
- le **degré d'un sommet** correspond au nombre d'extrémités d'arêtes qui touchent à ce sommet ;
- deux sommets reliés par une même arête sont **adjacents** ;
- des arêtes qui relient les mêmes sommets sont des arêtes **parallèles**, et sont généralement notées à l'aide de nombres mis entre parenthèses ;
- une arête qui relie un sommet à lui-même est appelée **boucle**.

Ex.: Dans le graphe ci-dessous:
- l'ordre du graphe est 5;
- le sommet k est de degré 2 et le sommet m est de degré 3;
- les sommets m et p sont adjacents;
- l'arête k(1)-j est parallèle à l'arête k(2)-j;
- l'arête m-m est une boucle.

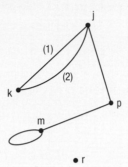

GRAPHE CONNEXE

Un graphe est connexe si n'importe quel sommet est relié, directement ou non, à n'importe quel autre sommet du graphe.

Ex.: 1) Graphe connexe   2) Graphe non connexe

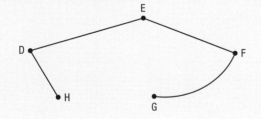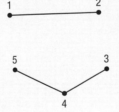

GRAPHE COMPLET

Un graphe est complet lorsque chaque sommet est relié directement à tous les autres sommets.

Ex.: 1) Graphe complet   2) Graphe non complet

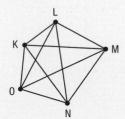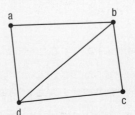

1 Pour chacun des graphes suivants, déterminez:

1) l'ordre;   2) le nombre d'arêtes;   3) le degré de chacun des sommets.

a)
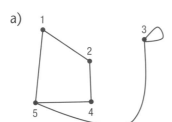

b)
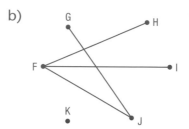

2 D'après le graphe ci-contre, expliquez pourquoi les affirmations suivantes sont fausses.

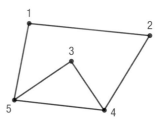

a) L'ordre du graphe est 6.

b) Le degré du sommet 4 est 2.

c) Le sommet 5 est adjacent aux sommets 1, 2, 3 et 4.

d) Le graphe est complet.

3 Nommez les arêtes de chacun des graphes suivants.

a)
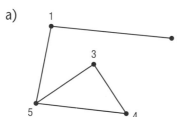

b)
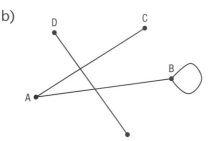

c)
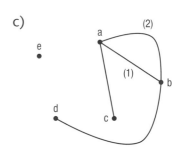

4 Dans chaque cas, indiquez si le graphe est connexe ou non. S'il ne l'est pas, nommez une arête que l'on pourrait y ajouter afin de le rendre connexe.

a)
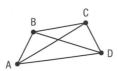

b)
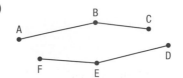

c)
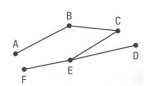

d)
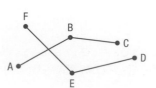

e)
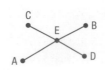

f)

5 Parmi les graphes ci-dessous, identifiez ceux qui pourraient représenter la même situation.

A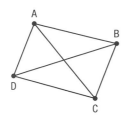

B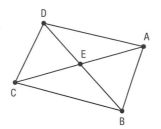

C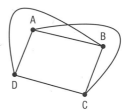

D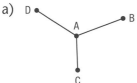

E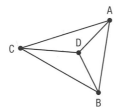

F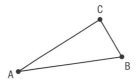

6 Dans chaque cas, indiquez si le graphe est complet ou non. S'il ne l'est pas, nommez les arêtes que l'on doit y ajouter afin de le rendre complet.

a)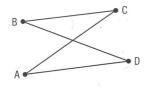

b)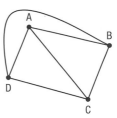

c)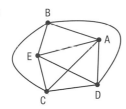

d)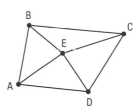

7 Le graphe ci-dessous représente les trajets des vols entre différents aéroports.

Trajets des vols entre différents aéroports

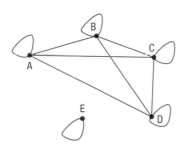

a) Pour chaque aéroport, nommez les différents vols sans escale offerts.

b) Quelle est la particularité de l'aéroport E ?

c) On veut offrir aux voyageurs la possibilité de se rendre, à partir d'un aéroport, dans n'importe quel autre aéroport avec ou sans escale. Que doit-on faire pour offrir cette possibilité ?

8 Pour chacun des graphes décrits ci-dessous, donnez:

1) sa représentation;
2) son ordre;
3) le degré de chacun de ses sommets.

		Ensemble des sommets	Ensemble des arêtes
a)	Graphe A	{a, b, c, d, e}	{a-a, a-c, b-d, b-c, a-d, d-d}
b)	Graphe B	{1, 2, 3, 4}	{1-2, 2-3, 3-3, 1-4, 1-1}
c)	Graphe C	{V, W, X, Y, Z}	{X-W, Y-Z, Y-W, W-W, X-X}

9 Le graphe suivant illustre les liens d'amitié qui unissent les personnes d'un groupe.

a) Quelle personne s'est liée d'amitié avec toutes les autres?

b) Quelles personnes se sont liées d'amitié avec seulement deux autres personnes du groupe?

c) 1) Combien de nouvelles amitiés devraient se créer afin que chaque personne soit liée d'amitié avec chaque autre personne du groupe?

2) Si tous les liens d'amitié sont créés, quel type de graphe permet de représenter cette situation?

Liens d'amitié entre
les personnes d'un groupe

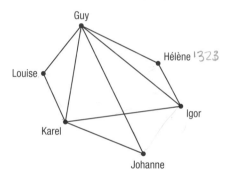

10 Marguerite et Gabrielle ont représenté par un graphe le trajet qu'elles empruntent respectivement pour se rendre de la maison à l'école. Que remarquez-vous?

Trajet de Marguerite

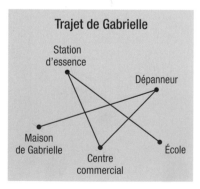

Trajet de Gabrielle

11 Construisez un graphe dont les arêtes associent les mots de l'ensemble L ci-dessous formés d'au moins trois lettres consécutives identiques sans tenir compte des accents.

L = {sommet, graphe, degré, maigrelet, mètre, lettre,
sommaire, métronome, somme, bicyclette}

12 Le graphe ci-contre présente les modèles d'automobiles d'un constructeur. Une arête relie deux modèles si ceux-ci ont au moins une pièce identique.

Modèles d'automobiles offerts par un constructeur

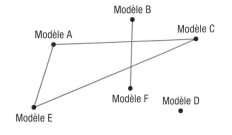

a) Combien de modèles ont au moins une pièce identique au modèle C?

b) Quels sont les modèles qui ont au moins une pièce identique?

c) Quel modèle n'a aucune pièce identique à un autre modèle?

13 Lors d'une compétition de karaté, une participante ne peut en affronter une autre que si l'écart d'âge entre elles est au plus de 2 ans. Les participantes sont âgées de 12 à 18 ans.

a) À l'aide d'un graphe, montrez les différentes possibilités d'affrontement.

b) Quelles catégories d'âge offrent le plus de possibilités d'affrontement?

c) Quels sont les âges possibles d'une participante si elle ne peut pas en affronter une autre âgée de 15 ans?

d) Quels sont les âges possibles d'une participante qui peut en affronter une autre âgée de 18 ans?

14 **GÉOGRAPHIE** À partir de la carte du Canada ci-dessous:

a) construisez, pour l'ensemble des provinces et des territoires, le graphe qui représente la relation «...a une frontière terrestre commune avec...»;

b) quelle province ou quel territoire a le plus de frontières terrestres communes avec d'autres?

c) quelles provinces ou quels territoires ont une seule frontière terrestre commune avec d'autres?

d) quelle province ou quel territoire n'a aucune frontière terrestre commune avec les autres?

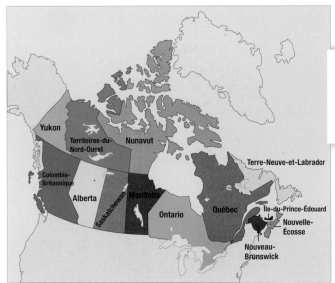

Le Nunavut a été reconnu le 1ᵉʳ avril 1999 comme l'un des trois territoires en vertu de la Constitution canadienne. Ses limites territoriales existaient depuis 1993, mais il était inclus dans les Territoires-du-Nord-Ouest.

15 **LA PANGÉE** La dérive des continents est une théorie selon laquelle un grand continent appelé La Pangée se serait divisé il y a des millions d'années et aurait formé, au fil du temps, les continents actuels. Voici une représentation de cette situation :

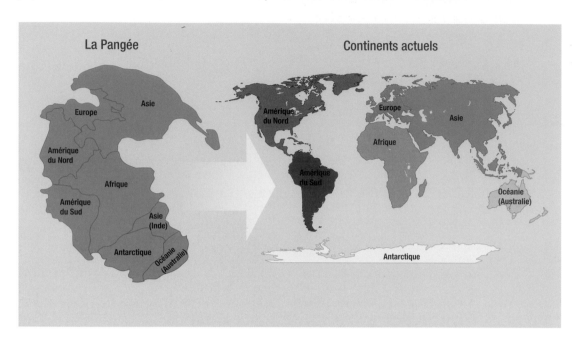

Quel continent actuel avait le plus de frontières communes avec les autres continents au temps de La Pangée ?

16 Pour la publication d'un roman, Carole travaille avec Annie, Bernard, Diane et Élizabeth. Annie, Diane et Élizabeth travaillent ensemble.

a) Représentez les relations de travail entre ces personnes à l'aide d'un graphe.

b) Au travail, quelle personne a le moins d'interactions avec les autres ?

c) Pour que tous les membres de l'équipe travaillent mutuellement entre eux, combien de relations de travail doivent être créées ?

17 Voici des renseignements concernant le réseau informatique d'une entreprise :

- Les ordinateurs : {A, B, C, D, E, F}
- Les liens réseaux : {A-C, C-B, D-E, D-F, B-A}

a) Représentez ce réseau informatique à l'aide d'un graphe.

b) Selon le devis d'installation, tous les ordinateurs doivent être reliés entre eux directement ou indirectement. Suggérez une modification possible à apporter à ce réseau afin que le devis soit respecté.

c) À la suite d'une panne du système informatique, on réorganise le réseau pour que tous les ordinateurs soient reliés deux à deux.

1) À l'aide d'un graphe, représentez ce nouveau réseau.

2) À combien d'ordinateurs chaque ordinateur est-il relié ?

18 Pour chacune des situations suivantes, montrez qu'au moins une personne n'a pas transmis la bonne information.

a) Lors d'une soirée, 8 personnes ont dansé. À la fin de la soirée, elles ont affirmé avoir dansé respectivement avec 7, 6, 5, 4, 4, 3, 3 et 1 personnes différentes.

b) Lors d'une journée, 7 personnes ont skié ensemble. Elles se rencontrent à la fin de la journée et affirment avoir skié avec 6, 6, 5, 4, 4, 3 et 3 personnes différentes.

19 Le graphe suivant présente les accès d'un édifice.

Accès aux salles et aux corridors d'un édifice

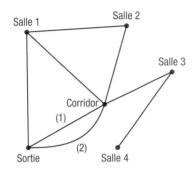

La Maison Blanche, à Washington, est ouverte au public pour des visites guidées. Les mesures de sécurité entourant le bâtiment et les terrains de la résidence officielle du président des États-Unis ont cependant été resserrées au fil du temps par des mesures de protection aérienne et des périmètres de protection élargis.

a) Combien d'accès compte le corridor?

b) Une norme de sécurité stipule que chaque salle doit avoir au moins deux accès. Quelle arête doit-on ajouter au graphe pour que l'édifice soit conforme à la norme?

c) Dessinez un plan de l'édifice qui respecte cette norme.

20 Dans une nouvelle installation électrique, six appareils doivent être reliés à une boîte électrique par un fil électrique. Construisez le graphe qui représente chacune des situations décrites ci-dessous.

a) Chaque appareil doit être relié directement à la boîte électrique et le nombre de fils électriques est minimal.

b) Chaque appareil doit être relié directement à la boîte électrique et chacun est relié à un seul autre appareil par un fil électrique.

c) Chaque appareil doit être relié directement à la boîte électrique et chaque appareil est relié à chacun des autres appareils par un fil électrique.

La foudre est une décharge électrique qui se produit lorsque de l'électricité statique s'accumule entre des nuages ou entre des nuages et la terre.

SECTION 3.2 Les chaînes et les cycles

Cette section est en lien avec la SAÉ 8.

PROBLÈME La communication par satellite

Les satellites permettent de communiquer presque instantanément d'un bout à l'autre de la planète. Parfois, la transmission d'un signal nécessite l'utilisation de plusieurs satellites.

Le 4 octobre 1957, l'URSS a lancé et mis en orbite le premier satellite artificiel, *Spoutnik 1*.

Le graphe suivant représente les voies de communication possibles dans un système satellite.

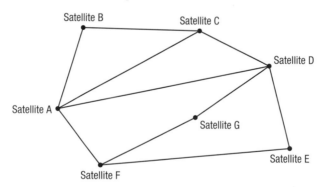

Système satellite

Voici les caractéristiques d'un signal utilisé pour vérifier l'efficacité du système satellite :

• le signal emprunte chacune des voies de communication une seule fois ;
• le signal peut être reçu et transmis plus d'une fois par un même satellite.

Indiquez au moins trois trajets qui permettent au signal de vérifier l'efficacité de ce système satellite.

Le système de localisation GPS a recours à plusieurs dizaines de satellites qui gravitent sur différentes orbites et utilisent la triangulation en vue de déterminer et de communiquer une position géographique précise à quelques mètres près.

22 VISION 3

ACTIVITÉ 1 L'escalade en montagne

Lors d'une ascension en haute altitude, les alpinistes doivent généralement escalader et redescendre plusieurs fois certaines parties de la montagne afin de s'acclimater à l'altitude. La carte ci-dessous présente les sentiers et les camps qui permettent l'ascension d'une montagne.

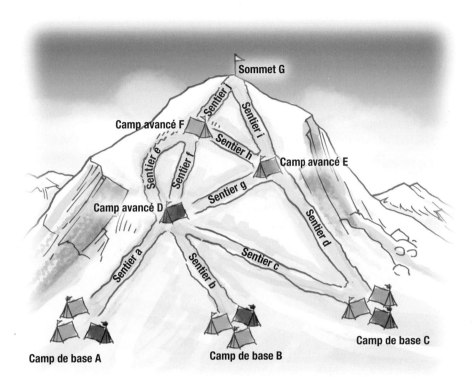

a. Quel est le nombre minimal de sentiers qu'un alpiniste peut emprunter pour atteindre le sommet lorsqu'il est situé :

1) au camp de base A ?   2) au camp de base B ?   3) au camp de base C ?

b. Une alpiniste, se trouvant au camp de base C, désire atteindre le sommet G sans redescendre. Nommez tous les trajets qu'elle peut emprunter.

c. L'équipe de ravitaillement veut livrer, depuis le camp de base C, des vivres à chaque autre camp de base, à chaque camp avancé ainsi qu'au sommet en ne passant qu'une seule fois à chacun de ces endroits. Est-ce possible ? Expliquez votre réponse.

d. Un alpiniste se trouvant au camp de base A veut emprunter tous les sentiers une seule fois et revenir au camp de base B. Est-ce possible ? Expliquez votre réponse.

Des drapeaux de prières bouddhistes au pied du mont Everest. Ces drapeaux de prières, appelés *loungta,* flottent au gré du vent dans les régions où le bouddhisme est pratiqué, notamment au Népal, au Tibet et au Bhoutan. Chaque couleur de ces petits rectangles de tissu correspond à un élément : rouge pour le feu, jaune pour la terre, bleu pour l'eau, vert pour le bois et blanc pour le fer.

La production juste-à-temps est une méthode de gestion de la production qui permet à une entreprise de minimiser l'entreposage des matières premières ou des produits qu'elle fabrique. Une coordination adéquate entre les fournisseurs, les transporteurs et les distributeurs de l'entreprise permet d'appliquer cette méthode.

Une entreprise, dont l'usine de fabrication est située à East-Angus, distribue ses produits dans la région représentée ci-contre.

Réseau de distribution des produits d'une entreprise

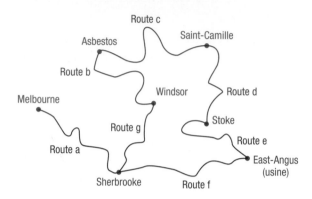

a. Indiquez un itinéraire qu'un camion peut emprunter pour effectuer une livraison aller et retour de l'usine vers Asbestos :

1) s'il peut passer deux fois par une même route ;

2) s'il ne peut pas passer deux fois par une même route.

b. Est-il possible qu'un camion de livraison quitte l'usine, passe par chaque ville une seule fois et revienne à l'usine ? Expliquez votre réponse.

La carte ci-contre présente les liens routiers de cette région après la construction de trois nouvelles routes.

Nouveau réseau de distribution

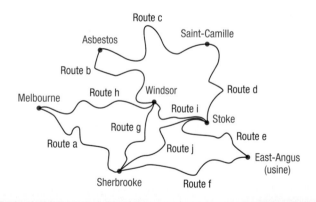

c. Après l'ajout de ces routes, est-il possible de déterminer un itinéraire qui répond aux conditions énoncées en **b** ? Expliquez votre réponse.

d. Déterminez un itinéraire qui permet à un camion de livraison de quitter l'usine, de passer par toutes les routes une seule fois et de revenir à l'usine.

La méthode « juste-à-temps » est d'origine japonaise. Les industries de ce pays ne disposant que de peu d'espace d'entreposage ont dû développer un système de livraison immédiate du produit fabriqué.

savoirs 3.2

CHAÎNE ET CYCLE

Dans un graphe, on établit une **chaîne** lorsqu'on passe d'un sommet à un autre en suivant des arêtes.

- La **longueur** d'une chaîne correspond au nombre de fois que l'on passe d'un sommet à un autre.
- La **distance** entre deux sommets A et B, notée d(A, B), correspond à la longueur de la chaîne la plus courte qui relie ces deux sommets.

Ex. : Dans le graphe ci-contre :
- d-e-f et e-f-g-h-g-d sont des chaînes ;
- la longueur de la chaîne d-g-f-e est 3 et celle de la chaîne g-d-e-d-g-h est 5 ;
- d(f, h) = 1 et d(h, e) = 2.

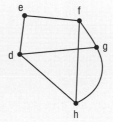

Dans un graphe, un **cycle** est une chaîne qui commence et se termine au même sommet.

Ex. : Dans le graphe ci-contre :
- A-B-E-B-A et D-C-E-B-E-A-D sont des cycles.

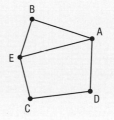

Chaîne simple et cycle simple

Une chaîne est dite **simple** s'il n'y a pas de répétition d'arêtes.

Ex. : Dans le graphe ci-contre :
- A-B-C-D et F-E-C-B-A-D-C sont des chaînes simples.

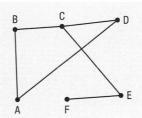

Un cycle est dit **simple** s'il n'y a pas de répétition d'arêtes.

Ex. : Dans le graphe ci-contre, 2-3-1-2 est un cycle simple.

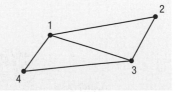

Chaîne eulérienne et cycle eulérien

Une **chaîne eulérienne** est une chaîne qui emprunte toutes les arêtes d'un graphe connexe sans répéter d'arête.

Un **cycle eulérien** est une chaîne eulérienne qui commence et se termine en un même sommet.

Dans un graphe, une chaîne eulérienne existe :

- si tous ses sommets sont de degré pair. Cette chaîne commence à n'importe quel sommet et se termine à ce même sommet. Il s'agit alors d'un cycle eulérien.
- s'il y a exactement 2 sommets de degré impair. Cette chaîne commence à un sommet de degré impair et se termine à l'autre sommet de degré impair.

Ex. : Dans le graphe ci-contre, e-b-c-d-e-a-d est une chaîne eulérienne.

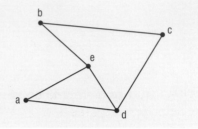

Ex. : Dans le graphe ci-contre, A-B-E-D-C-E-A est un cycle eulérien.

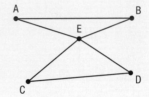

Chaîne hamiltonienne et cycle hamiltonien

Une **chaîne hamiltonienne** est une chaîne simple qui emprunte une seule fois tous les sommets d'un graphe connexe.

Ex. : Dans le graphe ci-contre, D-E-C-A-B est une chaîne hamiltonienne.

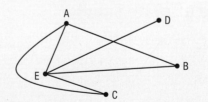

Un **cycle hamiltonien** est un cycle simple qui emprunte une seule fois tous les sommets d'un graphe connexe.

Ex. : Dans le graphe ci-contre, a-e-b-c-d-a est un cycle hamiltonien.

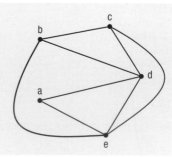

1 Dans le graphe ci-dessous:

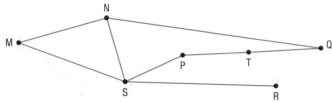

a) nommez un cycle simple;

b) nommez une chaîne simple qui relie le sommet R au sommet Q;

c) déterminez d(R, Q);

d) déterminez la longueur de la chaîne M-N-S-M-N-Q.

2 Dans chaque cas:

1) indiquez si le graphe contient une chaîne eulérienne, un cycle eulérien ou ni l'un ni l'autre;

2) si le graphe contient une chaîne eulérienne ou un cycle eulérien, nommez cette chaîne ou ce cycle.

a)

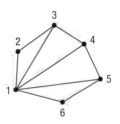

b)

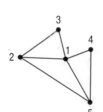

c)

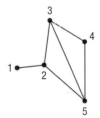

d)

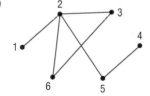

e)

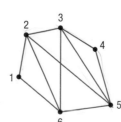

f)

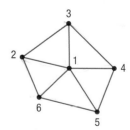

3 Parmi les affirmations suivantes, identifiez celles qui sont fausses et expliquez pourquoi elles le sont.

A Un cycle est aussi une chaîne.

B Une chaîne simple est aussi un cycle simple.

C La distance entre deux sommets est toujours égale à la longueur d'une chaîne qui relie ces deux sommets.

D Un cycle simple est aussi une chaîne.

E Une chaîne hamiltonienne admet nécessairement une chaîne eulérienne.

4 Dans chaque cas :

1) indiquez si le graphe contient une chaîne hamiltonienne, un cycle hamiltonien ou ni l'un ni l'autre.

2) si le graphe contient une chaîne hamiltonienne ou un cycle hamiltonien, nommez cette chaîne ou ce cycle.

a)
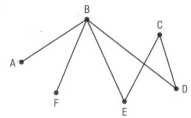

b)
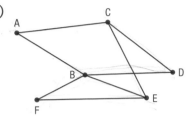

c)
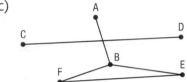

d)
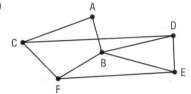

e)
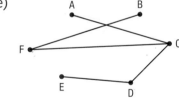

f)
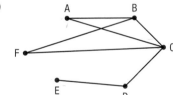

5 Dans chaque cas, construisez un graphe qui respecte les caractéristiques données.

a) Un graphe connexe d'ordre 6 qui contient deux cycles simples.

b) Un graphe d'ordre 5 formé de 4 arêtes et qui contient une chaîne hamiltonienne.

c) Un graphe d'ordre 7 formé de 9 arêtes et qui contient une chaîne eulérienne.

d) Un graphe d'ordre 5 dont le degré de chacun des sommets est supérieur à 2 et qui contient un cycle eulérien.

6 Dans chacun des graphes suivants, indiquez, si possible, une chaîne eulérienne.

a)
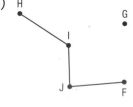

b)

c)
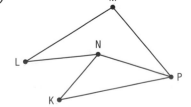

7 Dans chacun des graphes suivants, indiquez, si possible, un cycle eulérien.

a)

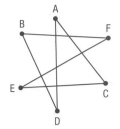

b)

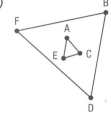

c)

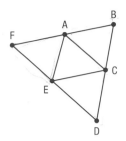

8 Pour chacun des graphes décrits ci-dessous :

1) donnez sa représentation ;

2) indiquez, si possible, une chaîne eulérienne ou un cycle eulérien.

		Ensemble des sommets	Ensemble des arêtes
a)	Graphe A	{a, b, c, d, e}	{a-b, a-d, a-e, b-b, b-c, c-d, e-e}
b)	Graphe B	{1, 2, 3, 4}	{1-2, 1-3, 1-4, 3-2, 4-3, 4-2}
c)	Graphe C	{A, B, C, D, E}	{A-B, D-B, D(1)-C, A-E, E-D, C(2)-D}

9 **GRAPHE DE PETERSEN** En 1898, Julius Petersen dessine pour la première fois le graphe ci-contre. D'après ce graphe, déterminez :

a) d(A, C) ;

b) d(G, J) ;

c) une chaîne simple de longueur 4 ;

d) un cycle simple de longueur 9 ;

e) la longueur de la chaîne A-F-H-J-E-D.

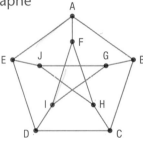

Le mathématicien danois Julius Petersen (1839-1910)

10 Pour acheminer le signal d'un utilisateur à l'autre, une entreprise de téléphonie cellulaire utilise plusieurs antennes. Le graphe suivant présente son réseau d'antennes.

Réseau d'antennes d'une entreprise de téléphonie cellulaire

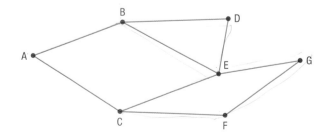

Un technicien vérifie la fiabilité du réseau en émettant un signal qui, à partir de l'antenne C, doit parcourir l'ensemble du réseau sans passer deux fois par la même ligne de transmission. Indiquez cette chaîne de transmission.

11 **KÖNIGSBERG** Au 18ᵉ siècle, la ville de Königsberg comptait 7 ponts qui permettaient de relier les deux rives de la ville et deux îles. Voici une représentation de cette situation :

a) Représentez cette situation par un graphe.

b) Est-il possible de visiter cette ville en traversant une seule fois chacun des 7 ponts ? Expliquez votre réponse.

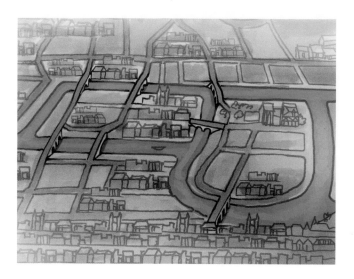

12 Le graphe ci-contre représente les accès possibles entre les différentes salles d'exposition d'un musée. Proposez une façon de visiter chacune des salles une seule fois tout en revenant à la salle de départ, sachant que la visite débute dans la salle des Pharaons.

Salles d'exposition d'un musée

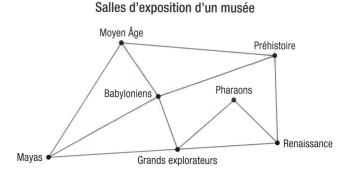

13 **DOMINO** Un domino comporte deux nombres représentés par des points. Une des variantes du jeu de dominos consiste à disposer les dominos de sorte que deux nombres identiques de deux dominos différents se touchent. Voici les 10 dominos pigés par une personne :

a) Représentez cette situation par un graphe dont les cinq sommets correspondent aux nombres 0, 1, 2, 3 et 4 inscrits sur les dominos et dont chaque arête relie deux nombres d'un même domino.

b) Expliquez comment il est possible de disposer ces 10 dominos selon les règles du jeu.

c) Si cette personne pige en plus les 5 dominos ci-dessous, est-il possible de disposer ces 15 dominos selon les règles du jeu ? Expliquez votre réponse.

14 Le graphe ci-contre représente les voies navigables possibles qu'un bateau peut emprunter pour approvisionner les plates-formes pétrolières A, B, C, D et E. Établissez un itinéraire qui permet, à partir du port F, d'accoster à chaque plate-forme une seule fois et de revenir au port F.

Réseau de plates-formes pétrolières

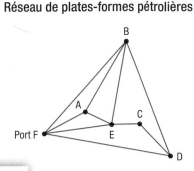

Après la fin de l'exploitation de gisements de pétrole, certaines plates-formes pétrolières sont réutilisées comme lanceurs spatiaux.

15 Dans le graphe ci-contre, chaque arête correspond à une rue d'un quartier résidentiel et chaque sommet, à une intersection de deux rues.

Rues d'un quartier résidentiel

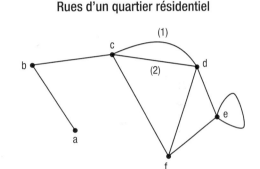

a) Dans ce contexte, que signifie la boucle à l'intersection e?

b) Déterminez un itinéraire qui permet de déneiger toutes ces rues en empruntant chaque rue une seule fois.

c) Sachant que le déneigement annuel d'une rue coûte 2000 $, déterminez le coût annuel minimal pour le déneigement de ce quartier.

d) Si l'on construit une rue entre les intersections a et f, à quelle intersection devrait-on commencer le déneigement? Expliquez votre réponse.

16 **LA ROUTE VERTE** Le projet La Route verte, lancé en 1995, consistait à aménager plus de 4300 km de pistes cyclables partout au Québec. Le graphe suivant représente 11 pistes cyclables reliant 10 régions du Québec.

Réseau de pistes cyclables

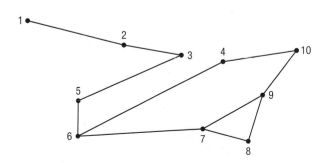

Régions
1. Abitibi-Témiscamingue
2. Outaouais
3. Laurentides
4. Lanaudière
5. Laval
6. Montréal
7. Montérégie
8. Cantons-de-l'Est
9. Centre-du-Québec
10. Mauricie

a) Une cycliste emprunte La Route verte pour aller du Centre-du-Québec à Montréal. Quel est le nombre minimal de pistes cyclables qu'elle doit emprunter?

b) Cette cycliste peut-elle emprunter six pistes cyclables différentes et revenir à son point de départ? Expliquez votre réponse.

17 Voici deux graphes :

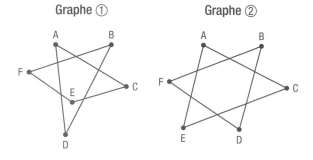

Graphe ①   Graphe ②

a) Ces deux graphes peuvent-ils représenter la même situation ? Expliquez votre réponse.

b) Peut-on affirmer que le graphe ② contient un cycle eulérien puisque le degré de chaque sommet est pair ? Expliquez votre réponse.

c) Nommez un cycle eulérien dans le graphe ①.

d) Dans le graphe ②, nommez une arête qu'il est possible d'ajouter afin d'obtenir une chaîne eulérienne.

18 Il est possible de déterminer comment franchir le labyrinthe ci-contre en le représentant par un graphe dans lequel les sommets correspondent à une porte d'entrée ou à une impasse.

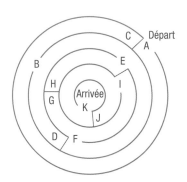

a) Représentez ce labyrinthe à l'aide d'un graphe.

b) Nommez la chaîne qui permet, sans revenir sur ses pas, de franchir ce labyrinthe du point de départ au point d'arrivée.

19 Le graphe ci-dessous présente des attraits touristiques de la ville de Québec ainsi que les différentes façons de se déplacer d'un endroit à l'autre.

Attraits touristiques de la ville de Québec

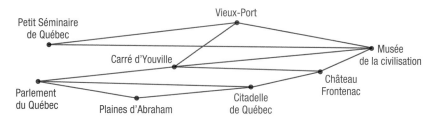

a) 1) Proposez un trajet qui, à partir du Château Frontenac, se termine au Musée de la civilisation et permet de visiter chaque attrait touristique une seule fois.

2) Déterminez le nombre de déplacements effectués durant ce trajet.

b) Une personne désire plutôt amorcer sa visite au Musée de la civilisation, la terminer au Château Frontenac et visiter chaque attrait touristique une seule fois. Quelle modification devrait-on apporter au trajet proposé ?

c) Proposez un trajet qui commence et se termine aux Plaines d'Abraham, et qui permet de visiter chacun des autres attraits touristiques une seule fois.

Le Carré d'Youville a été nommé ainsi en l'honneur de Marguerite d'Youville, fondatrice de la communauté des sœurs de la Charité, en 1737.

Cette section est en lien avec les SAÉ 7 et 8.

PROBLÈME La recherche et le développement industriel

Avant la mise en marché d'un nouveau produit, les entreprises effectuent des recherches et construisent généralement un ou plusieurs prototypes. Différents modèles de recherche et de développement permettent d'établir les coûts de production d'un produit.

Les graphes ci-dessous présentent deux modèles possibles de recherche et de développement dans une entreprise.

Recherche et développement dans une entreprise

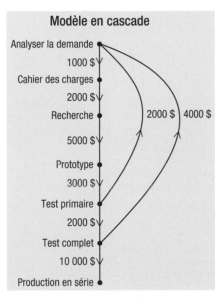

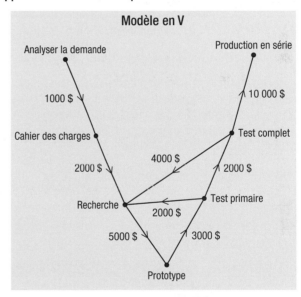

Dans chacun de ces modèles, chaque nombre correspond à la somme à investir avant de pouvoir passer à l'étape suivante.

Quel modèle cette entreprise devrait-elle retenir afin de minimiser ses coûts ?

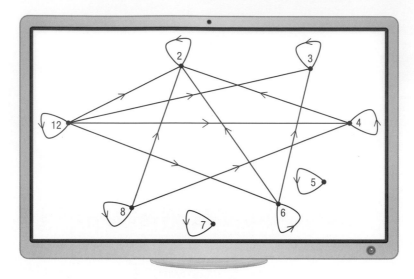

ACTIVITÉ 1 La programmation

Les analystes en informatique représentent parfois un concept à programmer à l'aide de graphiques, de tableaux ou de graphes. Une analyste met au point un logiciel dont la fonction est de reconnaître les multiples de certains nombres. Voici une représentation de cette situation :

a. Dans ce contexte, quelle est la signification d'une flèche ?

b. Le sens d'une flèche est-il important ? Expliquez votre réponse.

c. Pourquoi chaque sommet de ce graphe comporte-t-il une boucle ?

d. À l'aide du graphe, montrez de deux façons différentes que 12 est un multiple de 3.

e. L'analyste en informatique commence la représentation de la relation « ... est divisible par... » à l'aide du graphe ci-dessous. Complétez cette représentation.

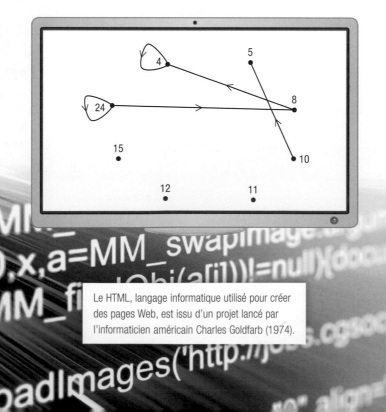

ACTIVITÉ 2 La motoneige

Au Québec, on peut pratiquer la motoneige sur plus de 35 000 km de sentiers aménagés. Le graphe suivant montre les sentiers qui relient certaines villes de la région de Chaudière-Appalaches. La valeur associée à chaque arête correspond à la longueur (en km) du sentier.

Sentiers de motoneige dans la région de Chaudière-Appalaches

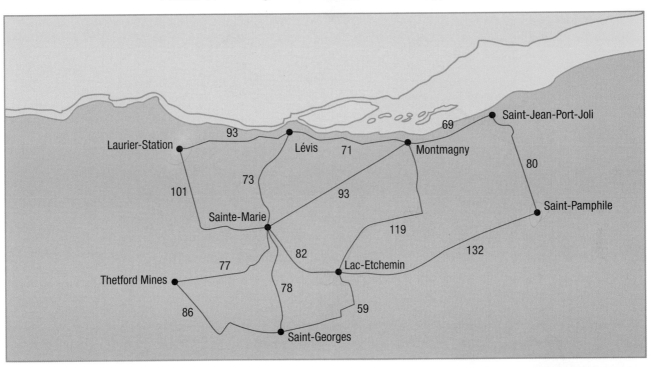

a. Indiquez la distance (en km) parcourue par une motoneigiste qui effectue les déplacements suivants.

1) Lac-Etchemin, Sainte-Marie, Lévis.

2) Thetford Mines, Saint-Georges, Lac-Etchemin, Saint-Pamphile.

b. Un motoneigiste veut se rendre de Saint-Jean-Port-Joli à Saint-Georges.

1) Établissez tous les trajets possibles qui passent par trois sentiers différents.

2) Combien de kilomètres compte chacun de ces trajets?

3) Lequel de ces trajets est le plus court?

c. 1) Nommez tous les trajets possibles entre Saint-Pamphile et Laurier-Station qui passent par trois ou quatre sentiers.

2) Lequel de ces trajets est le plus court?

On doit l'invention de la motoneige à un concepteur québécois, Joseph-Armand Bombardier (1907-1964).

ARBRE

Un arbre est un graphe connexe qui ne comporte aucun cycle simple.

Ex.: 1) Le graphe suivant est un arbre.

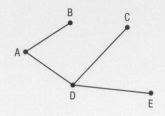

2) Le graphe suivant n'est pas un arbre puisque A-B-C-D-A est un cycle simple.

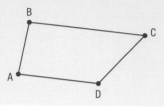

GRAPHE ORIENTÉ

Un graphe orienté est un graphe dans lequel un sens est attribué à chacune des arêtes à l'aide d'une flèche. Ces arêtes sont appelées des arcs. Dans un graphe orienté:

- un **chemin** est une suite d'arcs consécutifs qui se répètent ou non;
- un **circuit** est un chemin qui commence et se termine au même sommet;
- un chemin ou un circuit est **simple** s'il ne comporte pas de répétition d'arcs.

> L'arc A-B commence au sommet A et se termine au sommet B. L'arc B-A commence au sommet B et se termine au sommet A.

Ex.: Dans le graphe orienté ci-contre:
- D-E, F-D et G-F sont des arcs;
- F-D-E est un chemin;
- G-F-D(1)-G est un circuit.

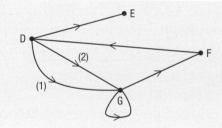

GRAPHE VALUÉ

Un graphe valué est un graphe, orienté ou non, dans lequel une valeur est attribuée à chacun des arcs ou à chacune des arêtes. Dans un graphe valué, la **valeur** d'un chemin ou d'une chaîne correspond à la somme des valeurs des arcs ou des arêtes qui forment ce chemin ou cette chaîne.

Ex.: Dans le graphe ci-contre:
- la valeur de l'arête C-E est 4;
- la valeur de la chaîne A-D-E-C est $9 + 8 + 4 = 21$.

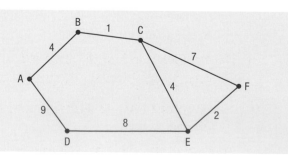

1 Dans le graphe ci-contre:

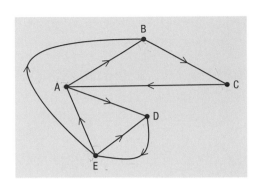

a) nommez un chemin de longueur 4;

b) nommez un circuit simple de longueur 3;

c) le chemin A-E-D existe-t-il?
Expliquez votre réponse.

d) quelle est la longueur du chemin:

    1) A-B-C-A-D-E?   2) A-D-E-D?

e) déterminez:

    1) d(A, C)   2) d(E, C)

2 a) Pour chacun des graphes ci-dessous, déterminez:

    1) la somme des degrés des sommets;   2) le nombre d'arêtes.

Graphe ①   Graphe ②   Graphe ③

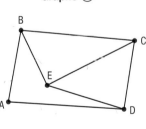 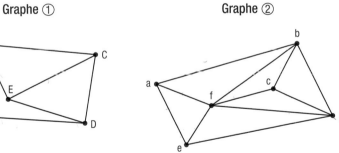 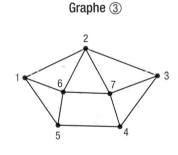

b) Formulez une conjecture en lien avec les réponses trouvées en a).

3 Le graphe ci-dessous est valué et orienté.

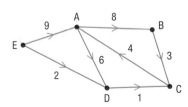

a) Déterminez la valeur du chemin:

    1) E-D-C-A-D   2) B-C-A-D   3) E-A-B-C

b) 1) Nommez tous les chemins simples allant du sommet E
au sommet B.

    2) Lequel des chemins trouvés en b) 1) a la valeur minimale?

4 Dans le graphe ci-contre, déterminez :

a) la valeur de la chaîne A-B-C-F ;

b) la valeur du cycle C-D-E-F-C ;

c) la valeur d'un cycle de longueur 3 dont le sommet de départ est A ;

d) 1) tous les cycles simples de longueur 4 dont le sommet de départ est C ;

    2) parmi les chemins trouvés en d) 1) celui qui a la valeur maximale.

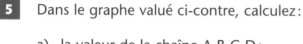

5 Dans le graphe valué ci-contre, calculez :

a) la valeur de la chaîne A-B-C-D ;

b) la valeur de la chaîne B-F-C-D ;

c) d(A, D) ;

d) d(B, D).

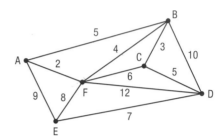

6 Le tableau ci-dessous fournit des renseignements sur un graphe valué dont les sommets sont V, W, X et Y. Représentez ce graphe.

Arête	Valeur de l'arête
X-W	5
W-Y	6
Y-V	8
V-X	9
X-Y	2

7 Dans le graphe valué ci-dessous, la longueur de la chaîne A-B-C-D correspond-elle à la valeur de la chaîne A-B-C-D ? Expliquez votre réponse.

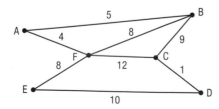

Une constellation est un ensemble d'étoiles de la voûte céleste qui sont suffisamment proches et que l'on a reliées par des lignes imaginaires pour leur donner une forme imaginaire. L'Union astronomique internationale (UAI) divise le ciel en 88 constellations officielles.

8 Dans le graphe ci-dessous, retranchez des arêtes afin d'obtenir un arbre dont la distance maximale du sommet F à chacun des autres sommets est 2.

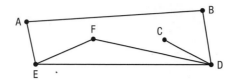

9 Représentez le graphe dont les sommets sont A, B, C, D, E et dont les arcs sont A-A, A-C, B-D, B-C, A-D et D-D.

10 Au moment de la réalisation d'un travail, des tâches doivent être effectuées avant d'autres, et certaines peuvent être exécutées simultanément. Le tableau ci-dessous indique les tâches à effectuer durant un travail ainsi que les tâches préalables à celles-ci.

Réalisation d'un travail

Tâche	Tâches préalables
A	Aucune
B	A
C	A
D	B
E	A et B
F	C
G	D, E et F

a) Représentez cette situation à l'aide d'un graphe orienté.

b) Quelle est la dernière tâche à effectuer dans ce travail ?

c) Déterminez la distance de A à G.

11 Dans chaque cas, déterminez le nombre d'arêtes qu'il faut ajouter ou retrancher au graphe afin d'obtenir un arbre.

a)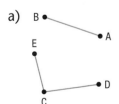

b)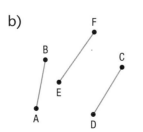

c)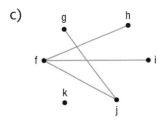

d)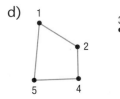

e)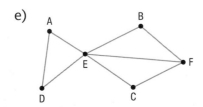

f)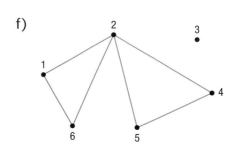

12 Le graphe ci-dessous présente les résultats des parties disputées dans un tournoi de soccer. Un arc relie l'équipe A à l'équipe B si l'équipe A a remporté la victoire contre l'équipe B. La valeur inscrite sur chaque arc indique le nombre de buts marqués par l'équipe gagnante.

Parties disputées lors d'un tournoi de soccer

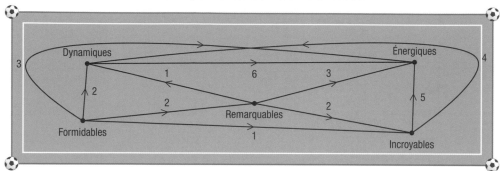

Quelle est l'équipe gagnante de ce tournoi si l'on considère:

a) le plus grand nombre de victoires?

b) le nombre total de buts marqués?

13 Le graphe ci-dessous présente le temps (en min) qu'il faut pour franchir à pied la distance entre certains arrêts d'autobus.

Temps de marche entre des arrêts d'autobus

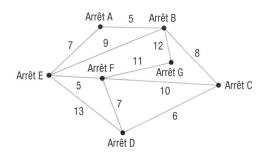

Conçus au milieu des années 1950, les autobus à impériale sont maintenant utilisés à des fins touristiques dans les grandes villes européennes.

Quel est le temps de marche d'une personne qui emprunte le trajet:

a) A-B-C-F-D? b) A-E-F? c) F-C-D-E?

14 On applique la relation «la somme des deux nombres est un nombre premier» à l'ensemble des nombres {8, 9, 10, 11, 12, 13}.

a) Représentez cette situation à l'aide d'un graphe.

b) De quel type de graphe connexe s'agit-il?

15 Pour confirmer la tenue d'une réunion, les membres d'un conseil d'administration ont formé une chaîne téléphonique. Le graphe suivant présente cette situation.

Chaîne téléphonique d'un conseil d'administration

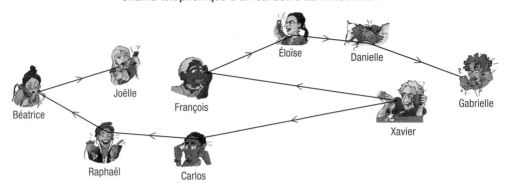

a) D'après ce graphe, quelle personne fait le premier appel?

b) Quelles pourraient être les conséquences de l'absence de Carlos au moment de l'appel?

c) La personne qui fait le premier appel veut ajouter deux appels dans la chaîne téléphonique afin de s'assurer que tous les membres du conseil d'administration puissent être joints. Déterminez ces deux appels.

16 Le graphe ci-dessous représente les lacs d'une pourvoirie et les chemins d'accès à ces lacs. Pour réduire le coût d'entretien des routes, la pourvoirie désire n'entretenir que les chemins qui permettent à chaque lac d'être accessible directement ou indirectement.

Chemins d'une pourvoirie

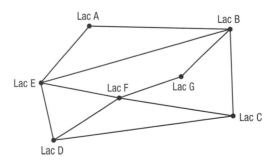

Quel est le nombre maximal de chemins dont on peut cesser l'entretien?

Le Québec, qui compte plus d'un demi-million de lacs et quelque 4500 rivières, possède 3% des réserves d'eau douce de la planète.

17 Le graphe ci-dessous présente le plan des conduites de gaz naturel qui pourraient alimenter différents immeubles d'un quartier.

Conduites de gaz naturel dans un quartier

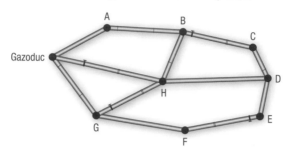

Par souci d'économie, certaines de ces conduites ne seront pas installées. Toutefois, pour desservir l'ensemble des immeubles:

- chacun d'eux doit être relié directement ou indirectement au gazoduc;
- au plus, trois immeubles peuvent être reliés directement ou indirectement entre eux.

Représentez le plan modifié à l'aide d'un graphe.

18 **CYCLE DE L'EAU** L'eau occupe près de 70% de la surface de la Terre et se trouve sous différentes formes. Voici une représentation du cycle de l'eau:

Cycle de l'eau

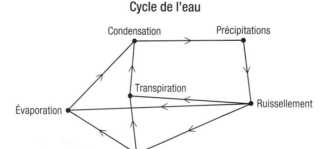

a) Que signifie le sens des flèches dans cette représentation?

b) Expliquez dans vos mots le cycle de l'eau, en commençant par l'évaporation.

c) Nommez un circuit qui commence par la transpiration.

d) Déterminez la longueur:

1) minimale d'un circuit qui commence par l'évaporation;

2) maximale d'un circuit simple qui commence par l'évaporation.

Vue aérienne des chutes du Niagara, à la frontière de l'État de New-York, aux États-Unis, et de l'Ontario, au Canada. Les chutes mesurent 52 mètres. Dans la partie canadienne, elles ont une largeur d'environ 792 mètres.

19 Antoine, Béatrice, Caroline, Danielle et Étienne sont des membres d'une même famille. On sait qu'Antoine a 22 ans de plus qu'Étienne, Caroline, 20 ans de moins que Béatrice, Danielle, 3 ans de moins qu'Étienne, et Danielle, 5 ans de plus que Caroline.

a) Représentez cette situation par un graphe dans lequel chacune des arêtes exprime la relation «... a... ans de plus que...».

b) Quelle personne est la plus jeune dans cette famille?

c) Quel est l'écart d'âge entre:
   1) Antoine et Caroline?
   2) Antoine et Béatrice?

d) Sachant que Caroline a 13 ans, déterminez l'âge de chaque membre de cette famille.

20 Le graphe suivant présente les itinéraires de bateaux de croisière entre différentes îles des Antilles ainsi que la durée (en jours) de chaque déplacement.

Les Antilles sont constituées d'îles situées dans la mer des Caraïbes. On y parle plusieurs langues, dont l'espagnol, l'anglais et le français.

Itinéraires de bateaux de croisière dans les Antilles

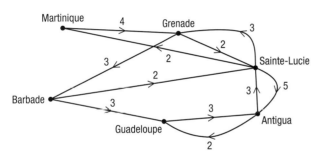

a) Quelle est la durée de la croisière d'une personne dont l'itinéraire est Sainte-Lucie, Martinique, Grenade et Barbade?

b) Une personne désire commencer sa croisière en Martinique, la terminer en Guadeloupe et visiter les 6 îles sans jamais faire escale deux fois sur la même île. Déterminez:
   1) l'itinéraire possible;
   2) la durée de cet itinéraire.

c) Une croisière, qui commence à Sainte-Lucie et se termine en Guadeloupe, permet de visiter une seule fois le plus d'îles possible. Quelle île ne pourra pas être visitée lors de cette croisière?

d) Une personne désire commencer sa croisière à Sainte-Lucie et la terminer en Guadeloupe sans faire escale deux fois sur la même île. Déterminez:
   1) tous les itinéraires possibles;
   2) la durée minimale de cette croisière.

21 Le graphe ci-contre présente la longueur (en km) de différents trajets que peut emprunter Louis lors d'un entraînement à la course à pied. Il commence et termine chacun de ses entraînements à la maison.

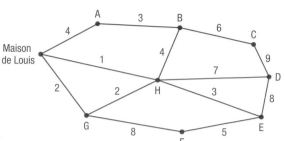

Entraînement de Louis à la course à pied

a) Au début de son entraînement, Louis doit courir moins de 10 km sans passer deux fois par la même route. Déterminez:

1) le trajet qu'il peut emprunter;

2) la distance parcourue.

b) Quelle est la distance parcourue par Louis s'il emprunte le trajet suivant: Maison - G - F - E - H - B - A - Maison?

c) Déterminez deux trajets au cours desquels Louis parcourt de 30 à 35 km sans passer deux fois par la même route.

22 Une compagnie aérienne offre des vols à destination de villes d'Europe. Le graphe suivant indique les temps de vol (en h) entre deux villes.

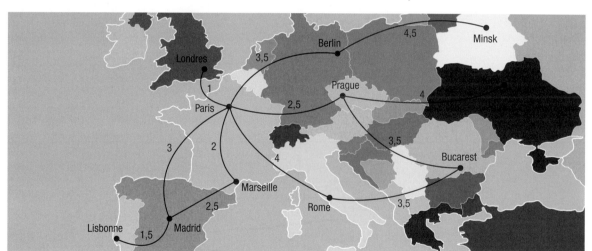

Routes aériennes entre certaines villes d'Europe

a) 1) Au minimum, combien de vols différents doit emprunter une personne qui voyage de Londres à Minsk?

2) Combien de temps passera-t-elle en avion?

b) Lorsqu'il est 6 h à Minsk, il est 4 h à Lisbonne. Une femme quitte Minsk à 18 h en direction de Lisbonne avec une escale d'une heure à chacun des aéroports de Berlin, de Paris et de Madrid. En utilisant l'heure locale de Lisbonne, déterminez l'heure de son arrivée.

c) Quel est le nombre minimal d'heures de vol nécessaires à une personne qui voyage de Madrid à Bucarest?

Cette section est en lien avec les SAÉ 8 et 9.

PROBLÈME L'entretien de véhicules

Chaque année, au Canada, plus de 12 milliards de dollars sont dépensés pour l'entretien et la réparation de véhicules automobiles. Ce secteur de l'industrie emploie plus de 219 000 personnes qui maintiennent ou remettent en bon état plus de 17 millions de véhicules.

Voici l'ensemble des tâches à effectuer pour réparer un véhicule accidenté :

- PRÉPARATION DU DEVIS (1 JOUR);
- LIVRAISON DES PIÈCES NEUVES (6 JOURS);
- RÉPARATION DES PIÈCES RÉUTILISABLES DU VÉHICULE (4 JOURS);
- PEINTURE DES PIÈCES RÉUTILISABLES ET DES PIÈCES NEUVES (1 JOUR);
- SÉCHAGE DES PIÈCES RÉUTILISABLES ET DES PIÈCES NEUVES (2 JOURS);
- RÉPARATION DE LA MÉCANIQUE DU VÉHICULE (3 JOURS);
- ASSEMBLAGE FINAL DU VÉHICULE (2 JOURS);
- ESSAI ROUTIER À LA SUITE DES RÉPARATIONS (1 JOUR);
- INSPECTION PAR UN AGENT AGRÉÉ (1 JOUR);
- NETTOYAGE DU VÉHICULE (1 JOUR).

 Expliquez comment le garagiste peut réparer ce véhicule en 16 jours.

Le problème du voyageur de commerce est étudié en mathématiques depuis le XIXᵉ siècle. Le mathématicien irlandais William Rowan Hamilton l'énonça en 1859. Il consiste à déterminer le plus court chemin qui relie un ensemble de villes sans repasser par l'une de celles-ci et en revenant à son point de départ.

Le graphe suivant présente les routes et les villes d'une région. La distance entre les villes est exprimée en kilomètres.

Marchand forain, œuvre réalisée par l'artiste peintre français Martin Drölling en 1812

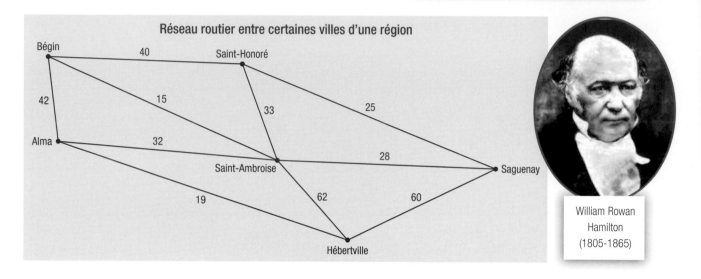

William Rowan Hamilton (1805-1865)

a. 1) Établissez tous les cycles hamiltoniens différents qui commencent à Saint-Ambroise.

2) Proposez l'itinéraire qui résout le problème du voyageur de commerce.

Trois camions de livraison quittent au même moment un commerce de Saint-Ambroise.

b. Expliquez comment ces trois camions peuvent livrer leur marchandise dans chacune des autres villes sans revenir à leur point de départ, tout en minimisant la distance totale parcourue.

Un camion de livraison quitte Saint-Honoré pour livrer sa marchandise à Hébertville.

c. Quel est le nombre minimal de routes qu'il doit emprunter pour effectuer cette livraison ?

d. 1) Établissez tous les itinéraires qui passent par deux ou trois routes différentes.

2) Parmi ces itinéraires :

   i) lequel est le plus court ?   ii) lequel est le plus long ?

3) Combien de routes différentes l'itinéraire le plus court compte-t-il ?

4) L'itinéraire le plus court est-il nécessairement celui qui emprunte le nombre minimal de routes différentes ? Expliquez votre réponse.

Au Québec, plus de 9000 ponts et viaducs permettent aux usagers de la route de se déplacer. En 2008, environ 650 millions de dollars ont été investis pour la réfection ou la construction de ponts.

Le pont de la Confédération relie le Nouveau-Brunswick à l'Île-du-Prince-Édouard. Avec ses 12,9 km, c'est le plus long pont au monde qui surplombe des eaux parfois prises par les glaces. Il a reçu plusieurs prix d'ingénierie à l'échelle internationale.

Le tableau suivant présente les principales étapes de la construction d'un pont.

Construction d'un pont

Étape	Description	Temps de réalisation (jours)	Étapes préalables
A	Analyse des besoins	25	Aucune
B	Élaboration des plans	60	A
C	Fabrication du tablier en usine	35	B
D	Travaux de fondation	45	B
E	Installation du tablier	15	C et D
F	Réalisation des approches du pont	20	D
G	Travaux de pavage	3	E et F
H	Vérification de la conformité des travaux	4	G
I	Fin des travaux	Aucun	H

a. 1) Complétez le graphe ci-dessous qui représente cette situation.

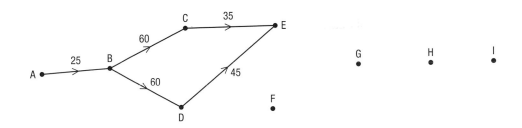

2) Pourquoi ce graphe est-il orienté ?

3) Que signifient les nombres sur les arcs du graphe ?

b. D'après le contexte, expliquez pourquoi les chemins B-C-E et B-D-E sont parallèles.

c. 1) Établissez tous les chemins qui relient le sommet A au sommet I.

2) Quel est le chemin dont la valeur est maximale ?

3) Dans ce contexte, à quoi cette valeur correspond-elle ?

Un atlas regroupe plusieurs cartes géographiques. Pour la production d'un tel ouvrage, on colorie généralement les cartes pour bien distinguer les régions frontalières. L'utilisation d'un minimum de couleurs permet de réduire les coûts de production.

On désire colorier une partie de la carte de la France ci-dessous à l'aide d'un minimum de couleurs de façon à ce que deux régions ayant une frontière commune soient de couleurs différentes.

Le théorème des quatre couleurs a été énoncé pour la première fois en 1852. Il a été démontré en 1976 à l'aide de plusieurs calculs effectués par ordinateur.

Carte d'une partie de la France

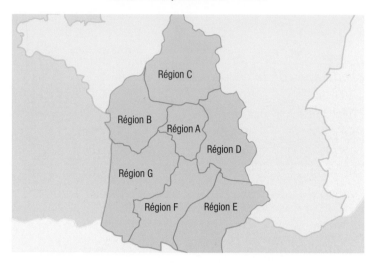

a. Si la région B est coloriée en rouge, peut-on aussi colorier en rouge :

1) la région A? 2) la région C? 3) la région D?

4) la région E? 5) la région F? 6) les régions D et E?

7) les régions D ou E? 8) les régions D, E et F? 9) les régions D, E ou F?

Dans le graphe ci-contre, les sommets représentent les régions de la France et les arêtes, les liens frontaliers.

Graphe d'une partie de la France

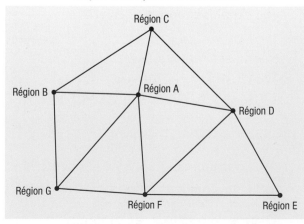

b. Quel est l'avantage de déterminer la couleur :

1) du sommet de plus haut degré au début?

2) du sommet de plus petit degré à la fin?

c. Que peut-on dire de la couleur associée à deux sommets :

1) reliés directement?

2) reliés indirectement?

d. Quel est le nombre minimal de couleurs nécessaires pour colorier cette carte?

e. Coloriez la carte de cette partie de la France.

CHAÎNE DE VALEUR MINIMALE

Il est possible de déterminer la chaîne de valeur minimale qui relie deux sommets d'un graphe en inscrivant sur chaque sommet la chaîne de valeur minimale qui aboutit au sommet initial ainsi que sa valeur.

Ex.: Dans le graphe ci-dessous, le sommet initial est A et le sommet final est F.

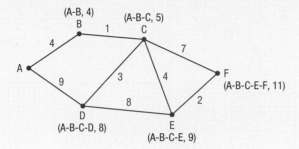

La chaîne de valeur minimale est A-B-C-E-F et sa valeur est 11.

ARBRE DE VALEURS MINIMALES OU MAXIMALES

Il est possible de déterminer l'arbre de valeurs minimales ou maximales d'un graphe de la façon suivante.

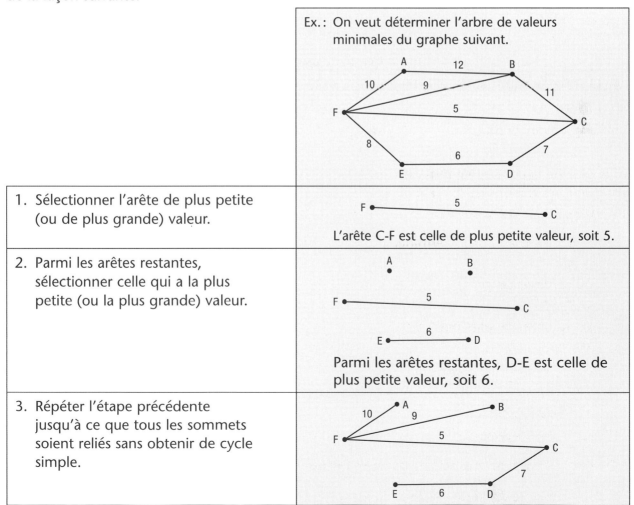

Ex.: On veut déterminer l'arbre de valeurs minimales du graphe suivant.

1. Sélectionner l'arête de plus petite (ou de plus grande) valeur.	L'arête C-F est celle de plus petite valeur, soit 5.
2. Parmi les arêtes restantes, sélectionner celle qui a la plus petite (ou la plus grande) valeur.	Parmi les arêtes restantes, D-E est celle de plus petite valeur, soit 6.
3. Répéter l'étape précédente jusqu'à ce que tous les sommets soient reliés sans obtenir de cycle simple.	

NOMBRE CHROMATIQUE

Le nombre chromatique est le **nombre minimal de couleurs** nécessaires pour colorier tous les sommets d'un graphe dans lequel deux sommets adjacents ne sont pas de la même couleur.

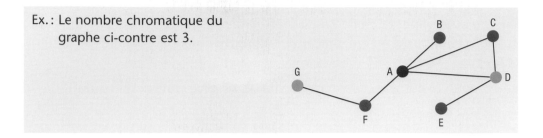

Ex.: Le nombre chromatique du graphe ci-contre est 3.

Il est possible de colorier un graphe de la façon suivante.

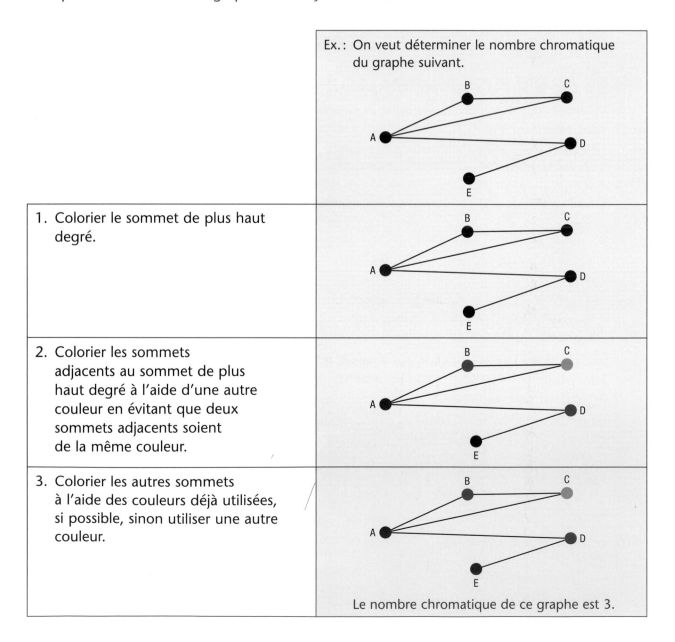

	Ex.: On veut déterminer le nombre chromatique du graphe suivant.
1. Colorier le sommet de plus haut degré.	
2. Colorier les sommets adjacents au sommet de plus haut degré à l'aide d'une autre couleur en évitant que deux sommets adjacents soient de la même couleur.	
3. Colorier les autres sommets à l'aide des couleurs déjà utilisées, si possible, sinon utiliser une autre couleur.	Le nombre chromatique de ce graphe est 3.

CHEMIN CRITIQUE

Dans un graphe, un chemin critique correspond à un **chemin simple de valeur maximale.**
Les chemins critiques sont utilisés pour déterminer le temps minimal requis pour réaliser
une tâche composée de plusieurs étapes. Pour représenter une telle situation, on doit tenir
compte des étapes préalables à d'autres et de celles qui peuvent être réalisées simultanément.

Ex. :

Démarrage d'une entreprise

Étape	Description	Temps de réalisation (jours)	Étapes préalables
A	Préparation du plan d'affaires	30	Aucune
B	Réalisation d'une étude de marché	10	A
C	Recherche de partenaires	25	A
D	Recherche d'un local	20	A
E	Analyse de l'étude de marché	5	B
F	Évaluation d'un système de distribution des produits	15	C et D
G	Recherche de financement	35	E et F
H	Démarrage de l'entreprise	Aucun	G

Il est possible de représenter l'ensemble
des étapes associées au démarrage de cette
entreprise par le graphe ci-contre. Dans
ce graphe :

- chaque sommet correspond à une étape;

- les chemins parallèles sont associés
  à des étapes qui peuvent être réalisées
  simultanément;

- le nombre inscrit sur chaque arc correspond
  au temps de réalisation de l'étape qui est
  à l'origine de l'arc.

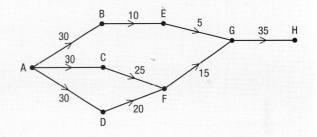

Il est possible de déterminer le temps minimal requis pour démarrer cette entreprise en évaluant
la valeur du chemin critique associé à cette situation.

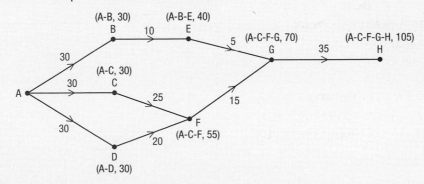

Il faut au minimum 105 jours pour démarrer cette entreprise.

1 Déterminez le nombre chromatique de chacun des graphes suivants.

a)

b)

c)

d)

e)

f)

2 a) Dans le graphe ci-dessous, représentez l'arbre de valeurs :

　　1) minimales ;　　　2) maximales.

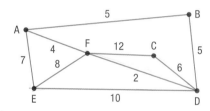

b) Existe-t-il d'autres solutions que celles trouvées en a)? Expliquez votre réponse.

3 Le tableau ci-contre présente les étapes de la réalisation d'une tâche, leurs temps de réalisation et les étapes préalables à chacune d'elles.

a) Représentez cette situation par un graphe orienté et valué.

b) Déterminez le chemin critique qui représente cette situation.

c) Évaluez le temps minimal requis pour franchir toutes les étapes.

Étape	Temps de réalisation (jours)	Étapes préalables
A	1	Aucune
B	3	A
C	2	A
D	5	A
E	4	B et C
F	1	E et D
G	Aucun	B et F

4 Dans le graphe ci-contre, déterminez la valeur minimale de la chaîne qui relie :

a) le sommet A au sommet D ;

b) le sommet B au sommet E ;

c) le sommet D au sommet F.

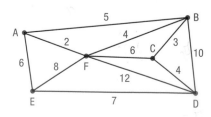

5 Dans chaque cas, déterminez:

1) le chemin critique; 2) la valeur de ce chemin.

a)

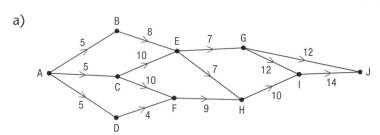

b)

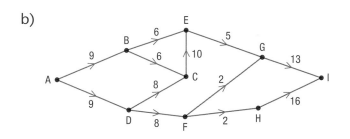

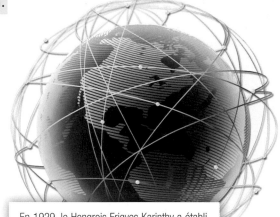

En 1929, le Hongrois Frigyes Karinthy a établi la théorie des six degrés de séparation, qui évoque la possibilité que toute personne sur le globe puisse être reliée à n'importe quelle autre par une chaîne de relations individuelles comprenant au plus cinq maillons.

6 Est-il possible de déterminer la chaîne de plus grande valeur qui relie les sommets A et D du graphe ci-dessous? Expliquez votre réponse.

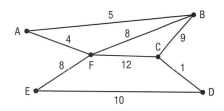

7 Voici des renseignements sur un graphe dont les sommets sont D, E, F, G et H.

Arête	D-E	D-F	D-G	D-H	E-F	E-G	E-H	F-G
Valeur	5	8	13	9	9	15	8	10

À partir de ce graphe, représentez l'arbre de valeurs:

a) minimales; b) maximales.

8 Dans le graphe ci-contre, déterminez la valeur minimale du chemin qui relie les sommets:

a) e et b; b) d et a;

c) a et d; d) a et b.

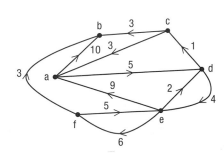

9 Dans le graphe ci-contre, déterminez:

a) 1) la chaîne hamiltonienne de valeur minimale qui commence au sommet E;

  2) la valeur de cette chaîne;

b) 1) la chaîne hamiltonienne de valeur maximale qui commence au sommet D;

  2) la valeur de cette chaîne.

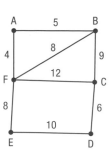

10 Dans le graphe ci-dessous, les valeurs représentent le coût (en $) qu'une entreprise doit assumer pour le transport de ses marchandises d'une ville à l'autre.

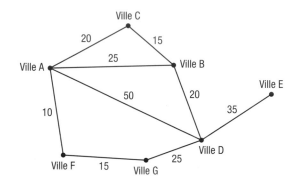

a) Déterminez le coût minimal du transport:

  1) de la ville A à la ville E; 2) de la ville F à la ville B.

b) Quel est le coût minimal du transport si un camion quitte la ville E et livre un colis dans chacune des autres villes?

Le transport routier des marchandises occupe une place importante dans l'économie de toute l'Amérique du Nord. Au Québec, en raison de ses avantages concurrentiels (souplesse, rapidité et coût), le transport routier domine tous les autres modes de transport des marchandises.

11 Les sommets d'un graphe sont P, Q, R, S, T et U, et ses arêtes sont P-Q, P-R, P-U, P-S, P-T, Q-R, R-S, R-U, S-T et S-U.

a) Représentez ce graphe.

b) Déterminez le nombre chromatique de ce graphe.

12 a) Déterminez le nombre chromatique de chacun des arbres ci-dessous.

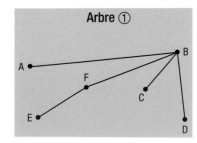

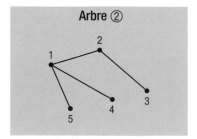

b) 1) Établissez une conjecture quant au nombre chromatique d'un arbre.

  2) Validez votre conjecture à l'aide d'un arbre d'ordre 8.

13 Le graphe ci-dessous présente les coûts d'installation (en k$) des lignes électriques qui relient certaines villes à un parc éolien.

a) Si l'on installe toutes les lignes électriques, quel est le coût total de ce réseau?

b) 1) Représentez par un graphe un réseau électrique qui tient compte des critères suivants.

- Chaque ville est reliée au parc éolien directement ou indirectement par une ligne électrique.

- Le coût total d'installation est minimal.

2) Déterminez le coût minimal d'installation de ce réseau.

c) Quel est l'écart entre le coût d'installation du réseau initial en a) et le coût minimal d'installation du réseau modifié?

Villes reliées à un parc éolien

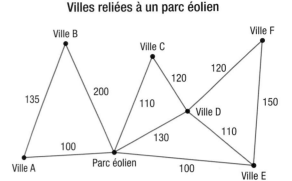

14 **RÉGIONS TOURISTIQUES** Le Québec compte 22 régions touristiques qui présentent chacune des attraits différents.

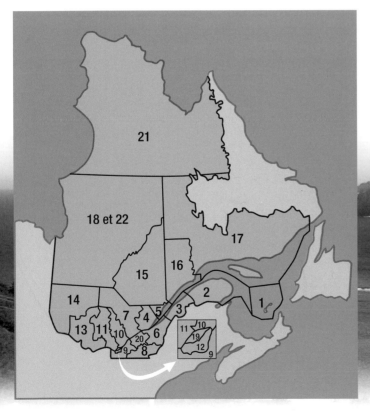

La Gaspésie, une péninsule de 21 000 km² qui s'avance dans le golfe du Saint-Laurent, est unique par sa configuration, ses lieux et ses paysages tout en contrastes. C'est la première région touristique du Québec.

a) Représentez les régions touristiques du Québec par un graphe dans lequel une arête correspond à une frontière commune à deux régions.

b) Déterminez le nombre chromatique de ce graphe.

c) Coloriez cette carte en utilisant un minimum de couleurs. Considérez que deux régions touristiques qui ont une frontière commune sont de couleurs différentes.

15 Une gérante prépare les horaires de travail de ses neuf employées. Dans le tableau ci-dessous, un X signifie que ces deux employées ne travaillent pas simultanément.

Horaires de travail

	Employée A	Employée B	Employée C	Employée D	Employée E	Employée F	Employée G	Employée H	Employée I
Employée A		X		X			X	X	
Employée B	X			X		X		X	
Employée C							X		X
Employée D	X	X							X
Employée E									
Employée F		X					X		X
Employée G	X		X			X			
Employée H	X	X							
Employée I			X	X		X			

a) Est-il possible de former des équipes de trois employées si chaque employée ne peut faire partie que d'une équipe de travail?

b) La gérante doit nommer une personne qui la remplacera si elle doit s'absenter. Quelle employée devrait-elle nommer? Expliquez votre réponse.

16 Le graphe suivant représente les temps (en min) de déplacements nécessaires entre deux intersections lors d'une course en taxi.

Déplacements en taxi

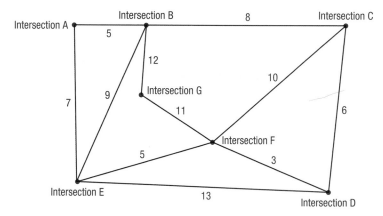

a) Calculez le temps minimal pour se rendre:

1) de l'intersection F à l'intersection B;

2) de l'intersection A à l'intersection D.

b) Déterminez une chaîne hamiltonienne de valeur minimale qui commence à l'intersection F.

17 Un cabinet comptable engage une entreprise pour revoir son système informatique. Voici la proposition de cette entreprise pour l'implantation du nouveau système :

Implantation du système informatique

Étape	Description	Temps de réalisation (jours)	Étapes préalables
A	Étude des besoins	10	Aucune
B	Analyse détaillée du projet	8	A
C	Achat des ordinateurs	21	B
D	Formation de l'équipe de programmeurs	3	B
E	Dessin du système comptable	6	C
F	Codage du système comptable	18	C
G	Mise à jour des ordinateurs	5	E et F
H	Installation et livraison des ordinateurs et du système comptable	4	D et G
I	Fin des travaux informatiques	Aucun	H

a) Représentez cette situation par un graphe orienté et valué.

b) Déterminez le chemin critique qui représente cette situation.

c) Est-il réaliste de penser que le système informatique sera fonctionnel dans 60 jours ? Expliquez votre réponse.

d) Peut-on modifier la date de livraison du projet si :
   1) le dessin du système comptable ne requiert que 4 jours ? Expliquez votre réponse.
   2) l'achat des ordinateurs ne nécessite que 13 jours ? Expliquez votre réponse.

18 **FUSIONS MUNICIPALES** En 2002, plusieurs municipalités d'une même région se sont regroupées. Voici la carte des huit arrondissements de la ville de Québec à la suite de cette fusion. Coloriez cette carte en utilisant un minimum de couleurs. Considérez que deux arrondissements qui ont une frontière commune sont de couleurs différentes.

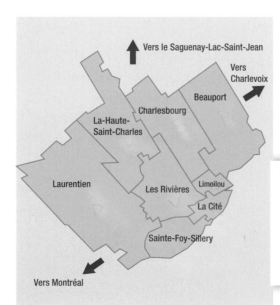

L'objectif principal des réorganisations municipales au Québec a été de rattacher les banlieues aux grandes villes, malgré l'opposition de certains groupes de citoyens. Ces fusions, rendues officielles le 1er janvier 2002 par l'adoption du projet de loi 170, ont mené à la création de cinq mégavilles dans les régions de Montréal, de Québec et de l'Outaouais, et ont ainsi changé la cartographie de ces lieux.

19 Un jeune cuistot reçoit ses amis à souper. Il commence ses préparatifs à 15 h 45.
Voici les étapes de la préparation du souper :

Préparation du souper

Étape	Description	Temps de réalisation (min)	Étapes préalables
A	Choisir le menu	5	Aucune
B	Éplucher les carottes	5	A
C	Préparer les boulettes de viande	15	A
D	Préparer la sauce pour les boulettes	5	B
E	Cuire les boulettes dans la sauce avec les carottes	45	C et D
F	Préparer la salade	10	D
G	Préparer l'entrée de crevettes	15	C
H	Cuire les crevettes	15	G
I	Préparer le dessert	20	G
J	Mettre le couvert	10	E et F
K	Servir le repas	5	H, I, J
L	Fin de la préparation du souper	Aucun	K

a) Représentez cette situation par un graphe orienté et valué.

b) Est-il possible que les convives soient en train de souper à 17 h ? Expliquez votre réponse.

20 Le tableau suivant indique les routes qui relient sept sites historiques ainsi que les distances entre les sites.

a) Déterminez la distance minimale à parcourir pour aller :

1) du château au parlement ;

2) du jardin à l'observatoire.

b) 1) Proposez l'itinéraire le plus court qui commence et se termine au château, et qui permet de visiter chaque site une seule fois.

2) Quelle est alors la distance parcourue ?

Sites historiques

Routes		Distance (m)
Site	**Site**	
Château	Puits	100
Château	Place publique	220
Château	Jardin	160
Puits	Observatoire	160
Place publique	Jardin	500
Place publique	Parlement	300
Place publique	Observatoire	400
Jardin	Parlement	330
Prison	Parlement	200
Prison	Observatoire	150
Parlement	Observatoire	120

Le château de Windsor, en Angleterre, est habité sans interruption depuis le début des années 1000.

21 Le tableau suivant présente les étapes de construction d'un modèle réduit de voilier.

Construction d'un modèle réduit

Étape	Description	Temps de réalisation (jours)	Étapes préalables
A	Choix d'un modèle	2	Aucune
B	Achat du bois et de la colle	1	A
C	Achat des voiles et des haubans	1	A
D	Assemblage de la coque	14	B
E	Assemblage de la quille	3	B
F	Assemblage des mâts et des voiles	6	B et C
G	Achat de la peinture	1	D
H	Assemblage du pont	5	E
I	Assemblage du rouf et du cockpit	7	E
J	Peinture de toutes les pièces de bois	3	G, H et I
K	Assemblage du support du voilier	1	F
L	Assemblage final	3	J et K
M	Fin de l'assemblage	Aucun	L

a) Quel est le temps minimal nécessaire pour construire ce modèle réduit?

b) Nathan assemble la coque en 8 jours. Il estime que son modèle réduit sera terminé 6 jours plus tôt que prévu. A-t-il raison? Expliquez votre réponse.

22 **CHEMIN DE FER CLANDESTIN** Au xixᵉ siècle, plusieurs personnes du sud des États-Unis se sont réfugiées au Canada en empruntant un réseau routier appelé le Chemin de fer clandestin. La carte ci-dessous présente les distances (en km) entre des villes américaines par où les réfugiés pouvaient circuler.

a) Déterminez la distance entre:

1) Zanesville et Cleveland;

2) Dayton et Mansfield.

b) Une personne quitte Dayton pour se rendre à Toledo en passant par Chillicothe, Columbus et Marion. Elle parcourt 50 km/jour. En combien de temps atteindra-t-elle sa destination?

c) Une personne quitte Chillicothe pour se rendre à Toledo. Elle veut parcourir moins de 350 km. Quels sont les itinéraires possibles?

Réseau routier

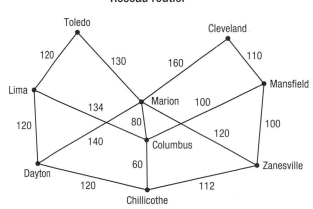

Chronique du passé

Claude Berge

Sa vie

Claude Berge (1926-2002)

Le Français Claude Berge est connu pour son génie mathématique et son talent artistique. En 1960, il collabore à la mise en œuvre de la revue *Oulipo* et cherche à démontrer comment les mathématiques peuvent aider à la création d'une œuvre littéraire. En 1994, il publie *Qui a tué le duc de Densmore*, une nouvelle dans laquelle la théorie des graphes permet d'identifier le meurtrier.

La théorie des graphes

En 1958, Claude Berge publie le livre *Théorie des graphes et ses applications*. Le but premier de cet ouvrage est de montrer comment il est possible de visualiser, à l'aide de graphes, des concepts théoriques complexes. Berge est considéré comme l'un des fondateurs de la théorie des graphes. Dans ses ouvrages, il utilise les expressions *graphe régulier, graphe planaire* et *graphes complémentaires*, dont voici les définitions.

Définition	Exemple
Graphe régulier : Graphe dont tous les sommets ont le même degré.	Voici un graphe régulier de degré 2 :
Graphe planaire : Graphe qui peut être représenté de sorte que les arêtes ne se touchent qu'en leur sommet.	Le graphe A-C-B-E-D est planaire, car l'arête A-C peut être tracée sans toucher à l'arête B-E.
Graphes complémentaires : Deux graphes sont complémentaires s'ils ont les mêmes sommets, s'ils n'ont aucune arête en commun, et si la mise en commun de leurs arêtes forme un graphe complet.	Voici deux graphes complémentaires :

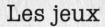

Avec l'aide de mathématiciens et de champions des échecs, Claude Berge élabora pendant les années 1960 des algorithmes qui sont encore utilisés aujourd'hui dans la programmation des jeux d'échecs électroniques.

Les jeux

Berge a démontré que l'utilisation des graphes est souvent utile pour établir des stratégies gagnantes dans des jeux. Le jeu de Nim en est un exemple. Voici les règles de ce jeu :

- Il y a un paquet de 6 billes et deux joueurs s'affrontent.
- À tour de rôle, chaque joueur ou joueuse retire 1 ou 2 billes du paquet.
- Celui ou celle qui retire la dernière bille perd la partie.

Il est possible de représenter ce jeu par le graphe ci-contre dans lequel chaque flèche correspond à l'action d'enlever 1 ou 2 billes.

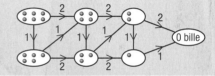

À l'aide d'un graphe, on peut établir une stratégie gagnante de la façon suivante.

- S'il reste une seule bille, on doit retirer cette bille et on perd. Donc, le sommet 1 bille est « perdant ».
- S'il reste 2 ou 3 billes, on peut prendre respectivement 1 ou 2 billes, et l'adversaire, qui n'a plus qu'une seule bille à retirer, perd assurément. Donc, les sommets 2 billes et 3 billes sont « gagnants ».
- S'il reste 4 billes, on peut prendre 1 ou 2 billes. Il reste donc 2 ou 3 billes, ce qui place l'adversaire en situation gagnante. Donc, le sommet 4 billes est « perdant ».
- En poursuivant ce processus, on obtient le graphe illustré ci-contre.

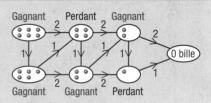

On remarque que le joueur ou la joueuse qui commence la partie peut gagner en adoptant une stratégie qui fera en sorte que l'autre personne ait 1 ou 4 billes devant elle à un moment ou l'autre de la partie.

1. Le graphe ci-contre indique les liens de parenté entre 5 personnes.

a) Ce graphe est-il régulier ? Expliquez votre réponse.

b) Ce graphe est-il planaire ? Expliquez votre réponse.

c) 1) Représentez le graphe complémentaire.

2) Donnez la signification des arêtes du graphe complémentaire.

Maria
Nadia
Louise
Patrick
Olivier

2. On vous propose de jouer au jeu de Nim. Le paquet comprend 8 billes au départ et vous devez commencer la partie. Est-ce un avantage ? Expliquez votre réponse.

Le **monde** du travail — Les directeurs techniques de salles de spectacles

La profession

Les directeurs techniques de salles de spectacles gèrent les ressources humaines et les ressources matérielles. Ils s'occupent principalement de l'achat et de l'entretien des équipements d'éclairage et de sonorisation, de la formation du personnel de scène, de la planification du montage et du démontage de la scène. Ils doivent aussi concevoir ou interpréter le devis technique d'un spectacle qui indique la disposition des éclairages, du décor et des amplificateurs de son.

La planification d'un spectacle

Le tableau suivant présente les tâches nécessaires à la préparation de *Fou rire*, un spectacle d'humour.

Organisation d'un spectacle d'humour

	Tâche	Temps de réalisation (min)	Tâches préalables
A	Lecture du devis technique du spectacle	45	Aucune
B	Préparation des éléments de l'éclairage	150	A
C	Déchargement de l'équipement du camion de tournée	30	B
D	Préassemblage du décor	75	C
E	Finalisation de l'éclairage	60	C
F	Fixation des porteuses d'éclairage au plafond	20	E
G	Assemblage final du décor	30	D et F
H	Préparation de la sonorisation	60	F
I	Préparation de l'éclairage au sol	45	G
J	Mise au point de l'éclairage	45	I
K	Tests de son et de lumière	20	H et J
L	Fin de l'organisation du spectacle	Aucun	K

La gestion des ressources humaines

Souvent, les membres d'une équipe technique cumulent plusieurs tâches liées à la préparation d'un spectacle, ce qui complexifie la gestion des ressources humaines.

Par exemple, neuf personnes spécialisées dans différents domaines sont disponibles pour la préparation du spectacle *Sensationnel*. La directrice technique doit former une équipe de travail constituée de trois personnes.

On présente ci-contre des renseignements sur l'efficacité du travail d'équipe de ces neuf personnes.

- Le travail de Béatrice avec Daniel ou France est inefficace.
- France et Daniel ne peuvent pas travailler ensemble.
- Élie n'est pas fonctionnel avec Charles, Daniel, Gaston ou Hector.
- Le montage de la salle sera incomplet si Daniel travaille avec Hector.
- Charles et Gaston ne peuvent pas travailler ensemble.
- Alexandra et Charles forment une équipe non fonctionnelle.
- Isabelle peut travailler avec n'importe qui.

Éclairage d'un spectacle

Les directeurs techniques utilisent parfois un graphe pour planifier les connexions électriques du système d'éclairage. Par exemple, le graphe ci-dessous présente les différentes façons de relier un système d'éclairage à la boîte électrique de la scène pour le spectacle *Clara*.

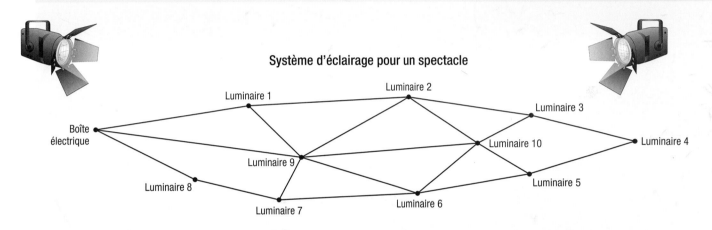

Système d'éclairage pour un spectacle

Les luminaires 1, 8 et 10 sont de type A, les luminaires 2, 3, 5 et 6 sont de type B et les luminaires 4, 7 et 9 sont de type C. Afin de ne pas créer de court-circuit, il faut :

- que chaque luminaire soit relié directement ou indirectement à la boîte électrique ;
- que le nombre de liens électriques soit minimal ;
- relier au maximum 2 luminaires de type A et 2 luminaires de type B ;
- relier au maximum 2 luminaires de type B et 2 luminaires de type C ;
- relier au maximum 1 luminaire de type A et 4 luminaires de type C.

1. Calculez le temps minimal requis pour préparer la salle du spectacle d'humour *Fou rire*.

2. Pour la préparation du spectacle *Sensationnel*, énumérez toutes les équipes que la directrice technique peut former avec Élie.

3. Proposez un arrangement du système d'éclairage pour le spectacle *Clara*.

1 Dans le graphe ci-contre :

a) existe-t-il un chemin eulérien ? Si oui, nommez-le.

b) déterminez un chemin hamiltonien ;

c) existe-t-il un circuit hamiltonien ? Si oui, nommez-le.

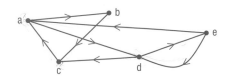

2 a) Dans le graphe ci-dessous, déterminez un cycle eulérien.

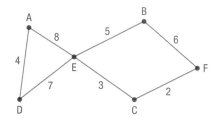

b) Quelle est la valeur de ce cycle eulérien ?

c) Que remarquez-vous en comparant la valeur de ce cycle eulérien avec les valeurs des arêtes du graphe ?

3 Dans un certain projet, il y a 10 tâches à accomplir. Voici des renseignements sur chacune d'elles :

Tâches d'un projet

Tâche	Temps minimal de réalisation (s)	Tâches préalables
A	10	Aucune
B	15	A
C	20	A
D	5	B
E	30	B et C
F	25	C
G	5	D
H	10	E et F
I	15	G
J	Aucun	H et I

La théorie de l'ordonnancement des tâches s'intéresse à l'exécution optimale de tâches en fonction des délais et des contraintes d'enchaînement. L'utilisation du principe de l'ordonnancement fait partie intégrante de la réalisation de projets complexes comme la construction d'autoroutes.

a) Représentez cette situation par un graphe.

b) Déterminez le chemin critique qui représente cette situation.

c) Évaluez le temps minimal requis pour accomplir toutes les tâches.

4   a) Dans le graphe ci-contre, nommez l'arc qu'il faut ajouter pour obtenir un chemin eulérien.

   b) Déterminez deux chemins eulériens possibles à partir du graphe obtenu en a).

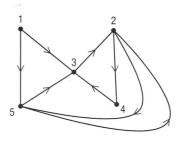

5   Représentez chacun des graphes décrits ci-dessous.

   a)   Le graphe A est non orienté.

   Ensemble des sommets : {a, b, c, d, e}

   Ensemble des arêtes :
   {a-b, a-c, b-c, b-d, d-e, e-e}

   b)   Le graphe B est orienté.

   Ensemble des sommets : {6, 7, 8, 9}

   Ensemble des arcs :
   {7-8, 9-8, 8-8, 9-9}

   c)   Le graphe C est non orienté et valué. Ses sommets sont K, L, M et N.

Arête du graphe	Valeur de l'arête
K-K	12
L-K	15
M-N	11
N-K	9
K-M	18

   d)   Le graphe D est orienté et valué. Ses sommets sont P, Q, R, S et T.

Arc du graphe	Valeur de l'arc
P-R	8
S-P	12
T-P	4
P-S	9
S-R	5

6   Voici cinq graphes :

Graphe Ⓐ   Graphe Ⓑ   Graphe Ⓒ   Graphe Ⓓ   Graphe Ⓔ

   a)   Complétez le tableau suivant.

Graphe	Ⓐ	Ⓑ	Ⓒ	Ⓓ	Ⓔ
Plus haut degré de ses sommets					
Nombre chromatique					

   b) Peut-on affirmer que le nombre chromatique d'un graphe est toujours inférieur à $r + 1$, où r est le plus grand degré de ses sommets ? Expliquez votre réponse.

7 Dans le graphe ci-contre, nommez, si possible :

a) une chaîne eulérienne ;

b) un cycle eulérien ;

c) une chaîne hamiltonienne ;

d) un cycle hamiltonien.

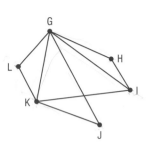

8 Déterminez le nombre chromatique de chacun des graphes suivants.

a)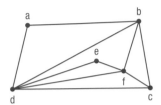

b)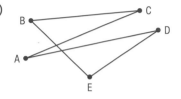

c)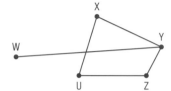

d)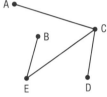

e)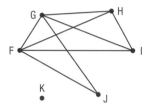

f)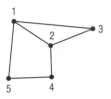

9 Le graphe ci-dessous est valué.

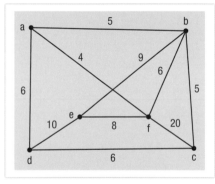

Certains scientifiques croient que les toiles d'araignée pourraient servir à produire un indice bio-indicateur de présence de polluants ou de produits chimiques avec lesquels ont été en contact les araignées qui les ont tissées.

a) Donnez la plus petite valeur de la chaîne qui relie les sommets :

1) a et e ;   2) f et c.

b) Tracez l'arbre de valeurs :

1) maximales ;   2) minimales.

c) Déterminez le ou les cycles hamiltoniens de valeur minimale qui commencent au sommet c.

10 Pour chacun des graphes ci-dessous, nommez un circuit eulérien.

a)

b)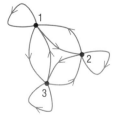

c)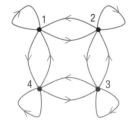

11 Dans le graphe suivant, chaque valeur correspond à un nombre de jours.

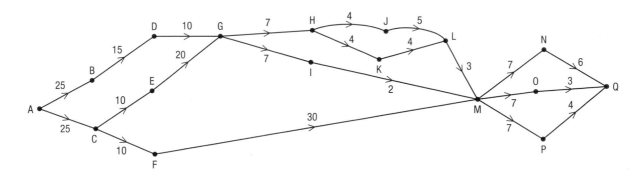

a) 1) Nommez le chemin critique.

    2) Déterminez la valeur du chemin critique.

b) Si la valeur de l'arc E-G diminue de 8, la valeur du chemin critique diminue-t-elle aussi de 8 jours? Expliquez votre réponse.

12 Lors de la Seconde Guerre mondiale, des mathématiciens planifiaient les patrouilles navales des pays alliés. Le graphe ci-dessous représente les trajets entre quelques ports appartenant à ces pays.

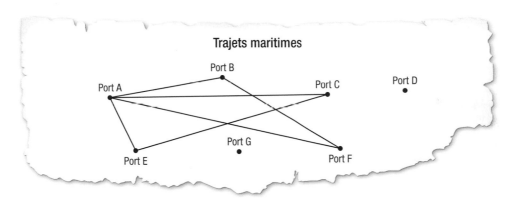

Trajets maritimes

a) Nommez les ports qui n'appartiennent pas aux pays alliés.

b) À partir du port A, est-il possible de patrouiller une seule fois tous les ports des pays alliés?

c) À partir du port A, proposez l'itinéraire d'un navire allié lui permettant de patrouiller une seule fois chaque lien maritime.

Les U-boats étaient des sous-marins allemands utilisés durant les deux guerres mondiales.

13 À l'aide du graphe ci-dessous, il est possible de former des mots.

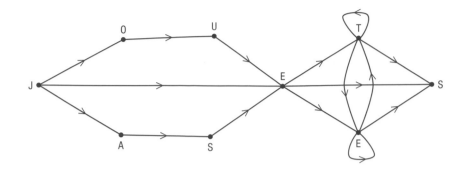

Sachant qu'un mot n'a pas forcément de sens, qu'il commence par la lettre J et qu'il se termine par la lettre S :

a) est-il possible de constituer le mot «jasettes»? Expliquez votre réponse.

b) est-il possible de constituer le mot «josettes»? Expliquez votre réponse.

c) quel est le mot le plus court qu'il est possible de former?

d) déterminez tous les mots de quatre lettres qu'il est possible de former.

e) indiquez au moins cinq mots de la langue française qu'il est possible de former.

14 **ÉCOSYSTÈME FORESTIER** Il existe certaines relations entre les êtres vivants d'un milieu naturel. Dans un écosystème, les insectivores se nourrissent d'insectes, les herbivores, de végétaux, et les carnivores, de chair animale. Le schéma ci-dessous représente un écosystème forestier.

Écosystème forestier

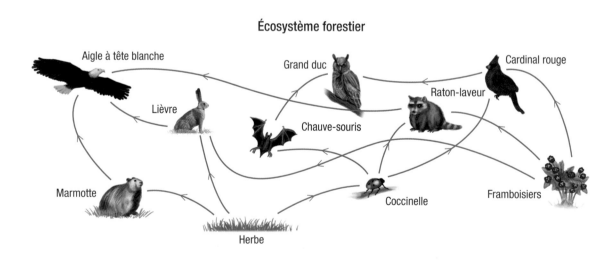

a) Quelle est la signification des flèches dans ce schéma?

b) Identifiez les êtres vivants qui sont :

1) des insectivores;   2) des herbivores;   3) des carnivores.

c) Quelle est la longueur du chemin le plus court qui associe l'herbe à l'aigle à tête blanche?

15 Le graphe ci-contre présente une façon de relier, à l'aide d'un réseau d'égouts, les quartiers d'une ville à une usine d'épuration des eaux.

Si chaque quartier doit être relié directement ou indirectement à l'usine d'épuration, proposez un réseau d'égouts qui comporte un minimum de liens.

Système d'épuration des eaux

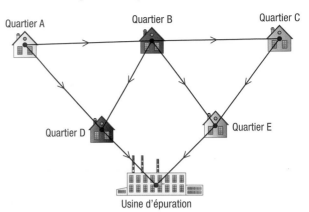

16 Voici les différentes étapes de la construction d'une maison :

Construction d'une maison

Étape	Temps de réalisation (jours)	Étapes préalables
A. Élaboration des plans	25	Aucune
B. Demande et acceptation d'un prêt hypothécaire	15	A
C. Choix de l'entrepreneur ou l'entrepreneure en construction	10	A
D. Choix et achat du terrain	10	B
E. Choix des matériaux de construction	15	C
F. Choix des matériaux de finition	25	C
G. Préparation des fondations	7	D et E
H. Charpente des planchers et des murs	4	G
I. Plomberie (première étape)	2	G
J. Charpente du toit et finition du toit	5	H
K. Électricité	4	H
L. Plomberie (deuxième étape)	3	J et K
M. Finition des murs intérieurs	7	F, I et L
N. Finition des murs extérieurs	6	M
O. Installation des systèmes de chauffage	3	M
P. Terrassement	4	M
Q. Fin de la construction	Aucun	N, O et P

a) Représentez cette situation par un graphe.

b) Déterminez le chemin critique qui représente cette situation.

c) Évaluez le temps minimal requis pour accomplir toutes les étapes.

d) 1) Si le choix des matériaux de finition se fait en 20 jours plutôt qu'en 25 jours, la construction de la maison prend-elle 5 jours de moins ? Expliquez votre réponse.

2) Si le choix des matériaux de construction se fait en 10 jours plutôt qu'en 15 jours, la construction de la maison prend-elle 5 jours de moins ? Expliquez votre réponse.

17 **LA CONFÉDÉRATION** En 1867, quatre provinces s'unissent pour former le Canada. Aujourd'hui, on compte dix provinces et trois territoires. La carte ci-dessous présente le Canada actuel.

Le Canada occupe le 2ᵉ rang mondial pour sa superficie, mais il est le 35ᵉ au monde en ce qui concerne sa population.

Le tableau ci-dessous présente des renseignements sur l'histoire du Canada.

Événements historiques

Année	Province ou territoire ajoutés
1867	Ontario, Québec, Nouveau-Brunswick, Nouvelle-Écosse
1870	Territoires-du-Nord-Ouest, Manitoba
1871	Colombie-Britannique
1873	Île-du-Prince-Édouard
1905	Alberta, Saskatchewan, Yukon
1949	Terre-Neuve
1999	Nunavut

Si deux régions adjacentes ne peuvent pas être coloriées de la même couleur, déterminez le nombre minimal de couleurs nécessaires pour colorier la carte géographique du Canada en :

a) 1867   b) 1871   c) 1905   d) 1999

18 Les arêtes du graphe ci-dessous représentent les routes que peut emprunter une cantine mobile. Les valeurs correspondent au revenu généré par le passage sur cette route. Le trajet d'une cantine commence à l'intersection D et croise chacune des intersections une seule fois. Déterminez le trajet qui permet de générer un revenu maximal.

Routes que peut emprunter une cantine mobile

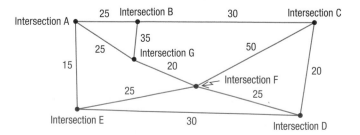

19 Lorsqu'un incendie de forêt se déclare, on fait parfois appel à des avions-citernes capables de déverser des milliers de litres d'eau sur les foyers d'incendie. Ces avions font le plein d'eau dans des lacs à proximité des feux. Le schéma ci-dessous représente une région qui comporte des lacs et dans laquelle surviennent des feux de forêt.

Parcours possibles d'un avion lors d'un incendie de forêt

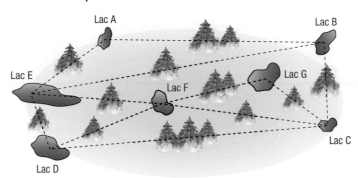

Déterminez l'itinéraire que doit emprunter un avion afin de déverser de l'eau une seule fois sur chacun des foyers d'incendie.

> Il faut au CL-215 environ 10 s pour emmagasiner 5100 L d'eau dans ses réservoirs qu'il largue par la suite sur les feux de forêt.

20 **LE SENTIER TRANSCANADIEN** Une fois complété, le Sentier transcanadien sera le plus long sentier récréatif au monde. D'une longueur de plus de 21 000 km, il reliera 3 océans, 33 millions de Canadiens, 1000 communautés et 600 sentiers locaux. Le tableau ci-dessous indique les distances entre les principales destinations possibles.

Sentier transcanadien

Sentier		Distance (km)	Sentier		Distance (km)
Victoria	Edmonton	2624	Kenora	Thunder Bay	762
Edmonton	Inuvik	3534	Thunder Bay	Hamilton	2221
Inuvik	Tuktoyaktuk	179	Hamilton	Windsor	575
Inuvik	Kakisa	1461	Hamilton	Fredericton	2267
Kakisa	Yellowknife	325	Fredericton	Halifax	790
Kakisa	Edmonton	1550	Fredericton	Charlottetown	582
Edmonton	Kenora	3271	Halifax	St. John's	1584

a) Représentez le Sentier transcanadien à l'aide d'un graphe valué.

b) Déterminez l'itinéraire le plus court qui relie Thunder Bay à Inuvik.

c) Quelle est la distance la plus courte entre St. John's et Victoria ?

21 **LE TUNNEL SOUS LA MANCHE** Le tunnel sous la Manche est un tunnel ferroviaire de 49,7 km de long qui relie la Grande-Bretagne à la France. Son inauguration a eu lieu le 6 mai 1994. La construction s'est effectuée des deux côtés de la Manche. Le tableau suivant présente les différentes étapes de la construction et leur durée approximative.

Travaux sur les deux rives du tunnel sous la Manche

	Étape	Côté français		Côté britannique	
		Temps de réalisation (mois)	Étapes préalables	Temps de réalisation (mois)	Étapes préalables
A	Forage du puits d'accès de Sangatte (Phase 1)	4	Aucune	Aucun	Aucune
B	Forage du puits d'accès de Sangatte (Phase 2)	7	A	Aucun	Aucune
C	Construction de l'usine de fabrication des voûtes du tunnel	8	A	8	Aucune
D	Fabrication des premières voûtes du tunnel	3	C	3	C
E	Travaux de construction du tunnel	40	B et D	48	D
F	Préparation du terminal (Phase 1)	45	C	45	C
G	Raccordement des tunnels sous la Manche	3	E	3	E
H	Préparation du terminal (Phase 2)	16	E et F	10	E et F
I	Travaux de finition	2	G et H	2	G et H
J	Fin des travaux	Aucun	I	Aucun	I

a) Les travaux ont commencé en septembre 1987. À quel moment chaque pays a-t-il terminé sa part des travaux?

b) Identifiez deux étapes qui auraient permis d'accélérer les travaux si elles avaient été réalisées plus rapidement.

C'est en 1751 que, pour la première fois, l'ingénieur français Nicolas Desmarets suggère la construction d'un tunnel sous la Manche pour améliorer les moyens de communication entre la France et l'Angleterre. En 1875, les premiers travaux de forage sont entrepris, mais abandonnés peu après pour des raisons militaires. En 1972, un accord est conclu pour la construction du tunnel, mais encore une fois les travaux sont abandonnés, pour des raisons économiques, et les galeries sont envahies par l'eau. C'est finalement en 1987 que commencent les véritables travaux, et le tunnel ferroviaire est inauguré en 1994.

22 Au 19ᵉ siècle, un marchand se déplaçait de maison en maison pour distribuer de la glace aux gens afin qu'ils puissent préserver leurs denrées périssables. Le graphe ci-dessous représente les différents entrepôts utilisés par un marchand de glace et la distance (en km) qui les sépare.

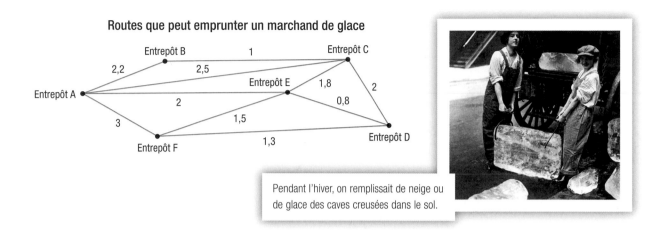

Routes que peut emprunter un marchand de glace

Pendant l'hiver, on remplissait de neige ou de glace des caves creusées dans le sol.

Le point de départ correspond à l'entrepôt A. Déterminez l'itinéraire qui permet au marchand de passer par chacun des entrepôts une seule fois tout en minimisant la distance totale parcourue.

23 Sur certaines routes, on installe des postes de péage afin de financer le réseau routier. Les graphes ci-dessous fournissent des renseignements sur la construction prochaine d'un réseau routier.

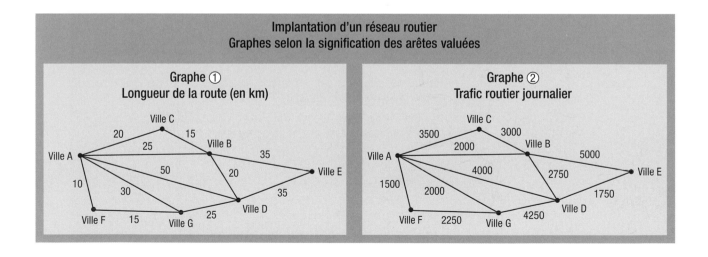

Implantation d'un réseau routier
Graphes selon la signification des arêtes valuées

Graphe ① Longueur de la route (en km)

Graphe ② Trafic routier journalier

Le coût de la construction de 1 km de route est de 1,5 million de dollars et il en coûte 3 $/automobile pour utiliser une route entre deux villes de ce réseau. Proposez au ministère des Transports une version simplifiée de ce réseau dans lequel chacune des villes est reliée directement ou indirectement à chacune des autres villes tout en étant le plus rentable possible.

banque de problèmes

1 Les ambulanciers doivent évaluer rapidement le trajet le plus court pour se rendre sur les lieux d'un appel d'urgence. Le graphe ci-dessous représente les routes possibles entre différents lieux. Les valeurs indiquent les distances (en m) entre deux lieux.

Routes entre le point de départ d'une ambulance et l'hôpital

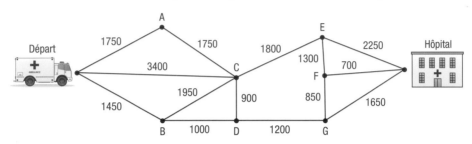

Voici des renseignements à propos d'une intervention :

- L'ambulance se déplace à une vitesse moyenne de 70 km/h.
- 2 min s'écoulent entre l'appel d'urgence et le départ de l'ambulance.
- 7 min s'écoulent entre l'arrivée de l'ambulance sur les lieux de l'accident et son départ pour se rendre à l'hôpital.
- 3 min s'écoulent entre le moment où la personne débarque de l'ambulance et sa prise en charge par le personnel hospitalier.

Une ambulance doit se rendre au point C pour secourir une personne et l'amener à l'hôpital. Déterminez le délai minimal avant que le personnel hospitalier la prenne en charge.

2 À l'aide d'une démarche mathématique, établissez une conjecture quant au lien qui existe entre le nombre chromatique d'un graphe complet et l'ordre de ce graphe.

3 Le graphe ci-dessous montre les routes que peut emprunter une vendeuse pour rendre visite à ses clients. Le point de départ est situé au point A.

Routes que peut emprunter une vendeuse

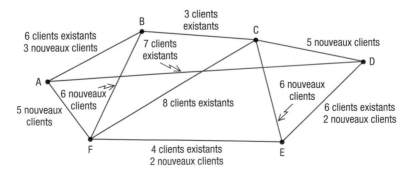

Une visite à un client existant rapporte 20 $ et une visite à un nouveau client, 25 $. Proposez à cette vendeuse un itinéraire qui lui permettra de maximiser ses profits en parcourant au plus 6 routes, sans passer deux fois sur la même, et de revenir à son point de départ.

4 La carte géographique des villes d'une région est représentée par un graphe d'ordre 7 dans lequel les sommets correspondent aux villes et les arêtes représentent la relation « ... a au moins une frontière commune avec... ». Les degrés des sommets sont 6, 5, 4, 4, 3, 2 et 2. Faites une représentation possible de la carte de cette région en utilisant un minimum de couleurs de sorte que deux régions adjacentes ne soient pas de la même couleur.

5 Voici la planification des tâches en lien avec les activités des finissants d'une école secondaire :

Planification des activités des finissants

	Étape	Temps de réalisation (jours)
A	Formation du comité d'organisation des activités	8
B	Sondage auprès des élèves sur leurs préférences	10
C	Choix du fournisseur des bagues	8
D	Choix de l'imprimeur de l'album de finissants	10
E	Choix du photographe	9
F	Choix de la salle pour la tenue du bal de fin d'année	15
G	Campagne de financement « Vente de pains »	25
H	Campagne de financement « Vente d'agrumes »	22
I	Photographie des finissants	3
J	Texte de l'album de finissants	35
K	Montage et livraison de l'album de finissants	40
L	Décoration de la salle	2
M	Fin de la planification	Aucun

Certaines restrictions s'appliquent à ces tâches :

- Les photographies doivent être prises après la campagne de financement « Vente de pains ».
- Le montage de l'album de finissants doit s'effectuer après la campagne de financement « Vente d'agrumes ».
- Les deux campagnes de financement ne peuvent pas se dérouler en même temps.
- Les étapes **C** à **F** doivent être terminées avant la réalisation des étapes **G** à **M**.

Proposez une organisation des tâches qui permet la réalisation de toutes les étapes en moins de 150 jours.

6 Une zoologiste doit placer des races d'animaux incompatibles dans des enclos différents. Le tableau ci-contre présente l'incompatibilité entre certaines races.

Le coût C de fabrication d'un enclos (en $) est donné par la règle $C = 500r^2 + 2000$, où r est le nombre de races d'animaux dans un enclos.

Races d'animaux incompatibles

Race incompatible avec la race B	A
Races incompatibles avec la race E	A, D, F, G, H
Races incompatibles avec la race F	A, C, D, E, G, H
Races incompatibles avec la race G	A, C, D, E, F

Déterminez le coût minimal pour séparer toutes ces races d'animaux de sorte qu'aucun animal ne soit en danger.

7 L'utilisation d'une fraiseuse permet de gagner du temps et d'économiser l'énergie pour percer des trous à répétition. Une fraiseuse à commande numérique utilise un système de coordonnées.

On a superposé un plan cartésien, dont les graduations sont en mètres, à une feuille de métal. Les trous à percer sont indiqués par des lettres. La fraiseuse, qui se déplace à une vitesse de 1,5 m/s et perce un trou en 10 s, commence et termine son parcours à l'origine du plan cartésien. Pour chaque déplacement, la fraiseuse se déplace sur une distance maximale de 10 m. Combien de temps au minimum prend-elle pour forer les cinq trous et retourner à son point de départ?

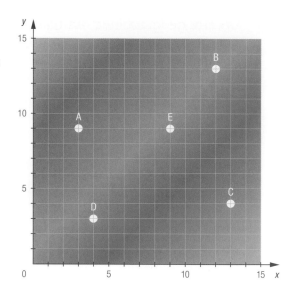

Le fraisage est un procédé d'usinage par enlèvement de copeaux. La machine utilisée, la fraiseuse, permet de reproduire toutes sortes de formes, même complexes. Elle peut être utilisée avec divers matériaux : bois, plâtre, résine, plastique, aluminium. La fraiseuse numérique, commandée par ordinateur, est l'un des outils technologiques de pointe en usinage.

8 **RALLYE** Le Rallye Aïcha des Gazelles est une épreuve qui se déroule dans le désert du Sahara où des équipes de deux concurrentes effectuent un rallye à l'aide d'une carte et d'une boussole. Le but du rallye est de trouver des balises en parcourant un minimum de distance.

Voici des renseignements au sujet de six personnes qui désirent s'inscrire à ce rallye.

- Alexandra est incapable de travailler avec Éloïse, Frédérique ou Geneviève.
- Béatrice ne peut pas être jumelée à Danielle ou à Éloïse.
- Geneviève et Frédérique ne forment pas un bon tandem.

La carte ci-dessous présente une des étapes de la course.

Routes possibles d'une étape du rallye

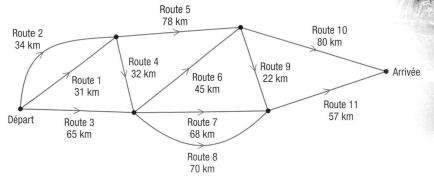

Le Rallye Aïcha des Gazelles, une compétition sportive et d'aventures exclusivement féminine, se déroule dans le désert du Maroc. Tout type de véhicule terrestre à moteur est admis : 4 × 4, moto, quad, buggy, prototype, etc. Les gagnantes sont celles qui cumulent le moins de kilomètres, pointent le plus de balises et ont le moins recours au dépannage de secours.

Proposez à ces concurrentes une répartition possible des équipes et déterminez l'itinéraire le plus court pour cette étape.

9 Un graphe planaire est un graphe dans lequel les arêtes ne se touchent qu'aux sommets. On a illustré ci-contre la représentation en perspective cavalière d'un prisme régulier à base hexagonale.

Représentez ce prisme à l'aide d'un graphe planaire valué.

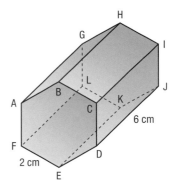

10 Les sommets du graphe ci-dessous représentent certains endroits du monde où il est possible d'organiser une course automobile. Les valeurs des arêtes indiquent les coûts totaux du transport des automobiles d'un endroit à l'autre.

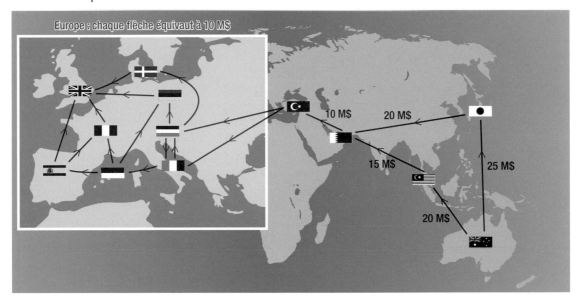

Le tableau ci-dessous présente les revenus potentiels pour chaque endroit où peut se tenir la course.

Revenus potentiels

Endroit		Revenu (M$)	Endroit		Revenu (M$)
Australie		80	Monaco		100
Malaisie		70	Espagne		70
Japon		75	France		60
Bahreïn		85	Allemagne		65
Turquie		75	Danemark		75
Hongrie		65	Grande-Bretagne		80
Italie		90			

La course automobile génère des millions de dollars de retombées économiques partout dans le monde. Les courses de type formule 1 sont parmi les plus médiatisées.

Une organisation veut mettre sur pied huit courses dont la première se déroulera en Australie et la dernière, en Grande-Bretagne. Pour obtenir un profit maximal, elle sélectionne les huit endroits qui génèrent les revenus potentiels les plus élevés.

Vérifiez si cette sélection est la plus rentable. Sinon, proposez une alternative plus efficace.

VISI④N

Les probabilités et les procédures de vote

Est-il possible de prévoir ou même de contrôler le hasard ? Le résultat d'un vote peut-il refléter l'ensemble des préférences individuelles ? La procédure de vote utilisée lors d'une élection peut-elle influer sur le résultat ? Dans *Vision 4*, vous utiliserez de nouveaux outils probabilistes et calculerez la probabilité qu'un événement se produise sachant qu'un autre s'est déjà produit. Vous vous familiariserez avec diverses procédures de vote. En plus de dégager les avantages et les inconvénients associés à chacune de ces procédures, vous apprendrez à analyser les résultats d'un vote ou d'une élection.

Arithmétique et algèbre	Géométrie	Graphes	Probabilités

Probabilités
- Événements mutuellement exclusifs, non mutuellement exclusifs, indépendants et dépendants
- Probabilité conditionnelle
- Comparaison et interprétation de différentes procédures de vote

RÉPERTOIRE
DES SAÉ   La démocratie

Chronique du
passé   Nicolas de Condorcet

Le
monde
du travail   Les politiciens

RÉACTIVATION 1 La transmission d'un message radio

Le schéma ci-dessous illustre un émetteur, un récepteur et trois relais qui permettent la transmission d'un message radio. La probabilité de défaillance du relais ① est de 10 %, celle du relais ② est de 4 % et celle du relais ③ est de 13 %.

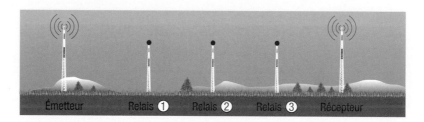

Émetteur   Relais ❶   Relais ❷   Relais ❸   Récepteur

a. Complétez cet arbre des probabilités.

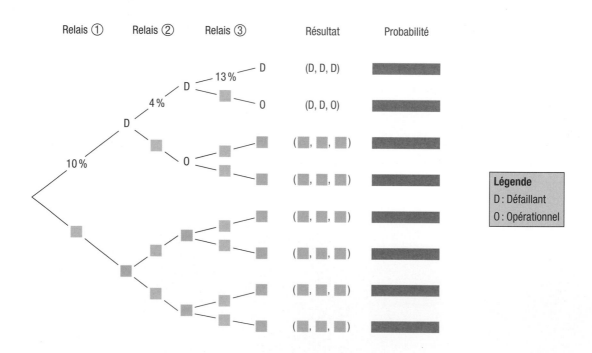

Légende
D : Défaillant
O : Opérationnel

b. Quelle est la probabilité que :

1) les relais ① et ② soient défaillants ?

2) les trois relais soient défaillants ?

3) au plus deux relais soient défaillants ?

4) tous les relais soient opérationnels ?

Les tableaux ci-dessous fournissent des renseignements au sujet de trois écoles d'une municipalité.

Répartition des élèves

École	A	B	C
Nombre d'élèves	1450	723	987

Revenu familial

École A		École B		École C	
Revenu familial (k$)	Pourcentage des élèves	Revenu familial (k$)	Pourcentage des élèves	Revenu familial (k$)	Pourcentage des élèves
[20, 30[	10	[20, 30[	2	[20, 30[	0
[30, 40[	7	[30, 40[	23	[30, 40[	6
[40, 50[	22	[40, 50[	42	[40, 50[	5
[50, 60[	24	[50, 60[	11	[50, 60[	12
[60, 70[	25	[60, 70[	13	[60, 70[	19
[70, 80[	6	[70, 80[	5	[70, 80[	32
[80, 90[	4	[80, 90[	3	[80, 90[	17
[90, 100[	2	[90, 100[	1	[90, 100[	9

a. Quel est le revenu familial moyen pour les élèves de l'école :

1) A ?   2) B ?   3) C ?

b. Dans quelle école le rapport du nombre d'élèves dont le revenu familial est de [20, 40[k$ au nombre d'élèves dont le revenu familial est de [80, 100[k$ est-il le plus élevé ?

c. Un budget de 1 000 000 $ est réparti entre ces écoles proportionnellement au nombre d'élèves dans chacune des écoles. Quelle est la somme allouée à l'école :

1) A ?   2) B ?   3) C ?

Au Québec, en 2009, l'enveloppe budgétaire allouée à l'éducation était la deuxième en importance après celle allouée à la santé. La façon dont cet argent est réparti entre les écoles dépend non seulement du nombre d'élèves, mais également de leur situation socio-économique.

EXPÉRIENCE ALÉATOIRE

Une expérience est **aléatoire** si :

1. son résultat dépend du **hasard**, c'est-à-dire qu'on ne peut pas prédire avec certitude le résultat de l'expérience ;

2. on peut décrire, avant l'expérience, l'ensemble de tous les résultats possibles, appelé l'**univers des résultats possibles**. Cet ensemble se note « Ω » et se lit « oméga ».

> Ex.: Lors du lancer d'un dé à 6 faces numérotées de 1 à 6, l'univers des résultats possibles est $\Omega = \{1, 2, 3, 4, 5, 6\}$.

ÉVÉNEMENT

Un **événement** est un **sous-ensemble** de l'univers des résultats possibles. On dit qu'un événement est **élémentaire** s'il contient **un seul résultat** de l'univers des résultats possibles.

> Ex.: 1) Lors de la pige d'une carte dans un jeu de 52 cartes, « obtenir une dame » est un événement et correspond à {dame de cœur, dame de pique, dame de carreau, dame de trèfle}.
>
> 2) Lors du lancer d'une pièce de monnaie, « obtenir pile » est un événement élémentaire, car il contient un seul résultat, soit {pile}, de l'univers des résultats possibles.

PROBABILITÉ D'UN ÉVÉNEMENT

La **probabilité d'un événement** composé de plusieurs événements élémentaires est égale à la **somme des probabilités** de chacun de ces événements élémentaires.

> Ex.: Un tiroir contient 8 couteaux, 10 fourchettes et 12 cuillers. Puisque « prendre au hasard un couteau » et « prendre au hasard une fourchette » sont deux événements élémentaires, la probabilité de l'événement « prendre au hasard un couteau ou une fourchette » se note comme suit :
>
> $$P(\text{couteau ou fourchette}) = P(\text{couteau}) + P(\text{fourchette}) = \frac{8}{30} + \frac{10}{30} = \frac{18}{30} = \frac{3}{5}$$

EXPÉRIENCE ALÉATOIRE À PLUSIEURS ÉTAPES

En ajoutant une probabilité sur chacune des branches d'un diagramme en arbre, on obtient l'**arbre des probabilités**. La probabilité d'un événement élémentaire d'une expérience aléatoire à plusieurs étapes est égale au **produit des probabilités** de chacun des événements intermédiaires qui forment cet événement.

Ex. : On tire une bille d'un sac contenant 5 billes rouges, 4 billes vertes et 2 billes bleues. On remet cette bille dans le sac, puis on en tire une de nouveau.

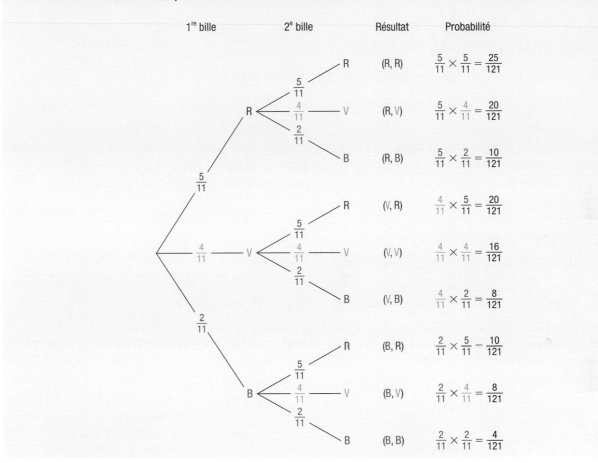

MOYENNE PONDÉRÉE

La moyenne d'un certain nombre de valeurs n'ayant pas toutes la même importance est appelée **moyenne pondérée**.

Ex. : Un examen de géographie comporte trois parties. En tenant compte de la note obtenue à chacune des parties par une personne et de l'importance relative de chacune des parties, on a :

Note globale = $0,75 \times 0,2 + 0,72 \times 0,3 + 0,88 \times 0,5$
            = 80,6 %

Examen de géographie

Partie	Note (%)	Pondération (%)
A	75	20
B	72	30
C	88	50

1 Une boîte contient 26 jetons sur lesquels sont inscrites les 26 lettres de l'alphabet. On tire au hasard successivement et avec remise trois jetons. Calculez la probabilité de tirer :

a) trois voyelles ;

b) trois consonnes ;

c) une consonne suivie d'une voyelle suivie d'une consonne ;

d) la lettre F suivie d'une voyelle suivie d'une autre voyelle ;

e) la lettre A suivie de la lettre B suivie de la lettre C.

2 Au cours d'un test sur la qualité de l'eau d'une rivière, un technicien analyse successivement trois échantillons d'eau pour déterminer s'ils contiennent de l'eau potable ou de l'eau contaminée. La probabilité qu'un échantillon soit contaminé est de 34 %. Voici deux événements en lien avec cette situation.

A : un seul échantillon est contaminé

B : au moins deux échantillons sont contaminés

a) Construisez l'arbre des probabilités associé à cette situation.

b) Énumérez les résultats contenus dans l'événement A.

c) Calculez la probabilité de l'événement B.

d) Décrivez un événement élémentaire associé à cette situation.

L'omble de fontaine, appelée truite mouchetée au Québec, est très exigeante quant à la qualité de l'eau dans laquelle elle vit, qui doit être claire, fraîche et bien oxygénée. Cette espèce de poisson est extrêmement sensible à la pollution. Elle constitue donc un excellent indicateur de la qualité de son écosystème.

3 Une urne contient 5 boules rouges, 3 boules jaunes et 2 boules noires. On y tire successivement trois boules. Calculez la probabilité d'obtenir :

a) une boule de chaque couleur si le tirage s'effectue avec remise ;

b) deux boules rouges et une boule noire si le tirage s'effectue sans remise ;

c) trois boules de la même couleur si le tirage s'effectue sans remise ;

d) deux boules noires et une boule jaune si le tirage s'effectue avec remise.

4 Maëva débourse 3 $ et fait tourner la roue ci-contre. Déterminez la probabilité qu'elle :

a) perde sa mise au premier tour ;

b) gagne 4 $ au premier tour ;

c) gagne 10 $ au deuxième tour ;

d) tourne la roue 4 fois.

5 Voici les résultats de Noémie en français au cours de la première étape :

> Production écrite : 75 %
>
> Compréhension de texte : 82 %
>
> Présentation orale : 79 %

Déterminez la note d'étape de Noémie sachant que :

- le volet production écrite compte pour 40 % de la note d'étape ;

- le volet compréhension de texte compte pour 45 % de la note d'étape ;

- le volet présentation orale compte pour 15 % de la note d'étape.

6 Dans un pays, les plaques d'immatriculation des véhicules de promenade comportent trois chiffres suivis de trois lettres. Les répétitions de chiffres et de lettres sont permises. Si l'on choisit au hasard une plaque d'immatriculation, quelle est la probabilité que :

a) le premier chiffre soit 7 ?

b) les deux premières lettres soient ZZ ?

c) les trois lettres forment le mot « FIN » ?

d) les trois chiffres forment le nombre 123 ?

La devise « Je me souviens » a vu le jour dans les années 1880. Le sous-ministre des Terres de la Couronne du Québec, Eugène-Étienne Taché, a décidé de l'ajouter au-dessus de la porte principale de l'hôtel du Parlement, dont il a conçu les plans. Elle est devenue la devise officielle du Québec en 1939.

7 On lance une pièce de monnaie 4 fois de suite et on observe chaque fois le côté supérieur.

a) Construisez l'arbre des probabilités associé à cette situation.

b) Quelle est la probabilité d'obtenir 4 résultats identiques ?

c) Quelle est la probabilité d'obtenir 2 fois pile et 2 fois face ?

> La toute première pièce de monnaie produite au Canada, en 1908, était une pièce de 50 cents à l'effigie d'Édouard VII, qui a été roi du Royaume-Uni et des pays du Commonwealth au début des années 1900.

8 Un sac contient 4 pièces de 25 ¢ et 5 pièces de 1 $. Une personne tire au hasard successivement 2 pièces du sac. Dans chaque cas, déterminez la probabilité de l'événement si cette personne :

1) ne remet pas la première pièce dans le sac ;

2) remet la première pièce dans le sac.

a) *P*(tirer des pièces dont la valeur totale est de 0,50 $).

b) *P*(tirer des pièces dont la valeur totale est de 1,25 $).

c) *P*(tirer des pièces dont la valeur totale est de 2 $).

9 Un logiciel antipourriel a pour fonction de reconnaître les courriels indésirables. Amélie installe un de ces logiciels dans son ordinateur. Elle estime à :

- 15 % la probabilité que ce logiciel considère comme indésirable un courriel qui ne l'est pas ;

- 88 % la probabilité que ce logiciel considère comme indésirable un courriel qui l'est ;

- 12 % la probabilité que ce logiciel considère comme acceptable un courriel qui ne l'est pas ;

- 85 % la probabilité que ce logiciel considère comme acceptable un courriel qui l'est.

Amélie reçoit un courriel indésirable suivi de deux courriels acceptables. Quelle est la probabilité que le logiciel :

a) traite adéquatement tous les courriels ?

b) traite inadéquatement tous les courriels ?

c) traite inadéquatement au moins un courriel ?

> Le terme « pourriel » désigne généralement des courriels non sollicités. Le premier pourriel aurait été envoyé en 1978 à environ 600 utilisateurs du réseau Arpanet, l'ancêtre d'Internet.

10 On lance à 5 reprises un dé à 6 faces numérotées de 1 à 6 et on obtient les résultats 2, 2, 4, 6 et 2. À la suite de cette expérience, trois personnes se prononcent sur le prochain lancer.

Laquelle de ces trois personnes a raison ? Expliquez votre réponse.

11 Le gène associé à la couleur des yeux est composé de deux allèles. Lors de la conception d'un enfant, chaque parent transmet un de ses allèles. L'allèle qui engendre les yeux bruns est représenté par la lettre B et l'allèle qui engendre les yeux bleus, par la lettre b. C'est le hasard qui détermine quel allèle est transmis par chaque parent.

Un homme qui possède les allèles B et b et une femme qui possède également les allèles B et b ont un enfant. On estime à :

- 45 % la probabilité que le père transmette son allèle B ;
- 55 % la probabilité que le père transmette son allèle b ;
- 40 % la probabilité que la mère transmette son allèle B ;
- 60 % la probabilité que la mère transmette son allèle b.

a) Quelle est la probabilité que l'enfant de ce couple reçoive :

   1) deux allèles B ?

   2) deux allèles b ?

   3) un allèle B et un allèle b ?

b) Sachant que la présence de deux allèles b est nécessaire pour que l'enfant ait les yeux bleus et que la présence d'un seul allèle B est suffisante pour que l'enfant ait les yeux bruns, calculez la probabilité que l'enfant de ce couple ait les yeux :

   1) bleus ;

   2) bruns.

Les mécanismes qui régissent la transmission héréditaire de certains gènes ont été découverts par le botaniste et religieux autrichien Gregor Mendel à la suite de ses expériences sur les petits pois. Les lois qui décrivent l'hérédité portent le nom de *lois de Mendel* en son honneur.

Cette section est en lien avec la SAÉ 10.

PROBLÈME La fête foraine

Lors d'une fête foraine, une personne se fait proposer plusieurs jeux.

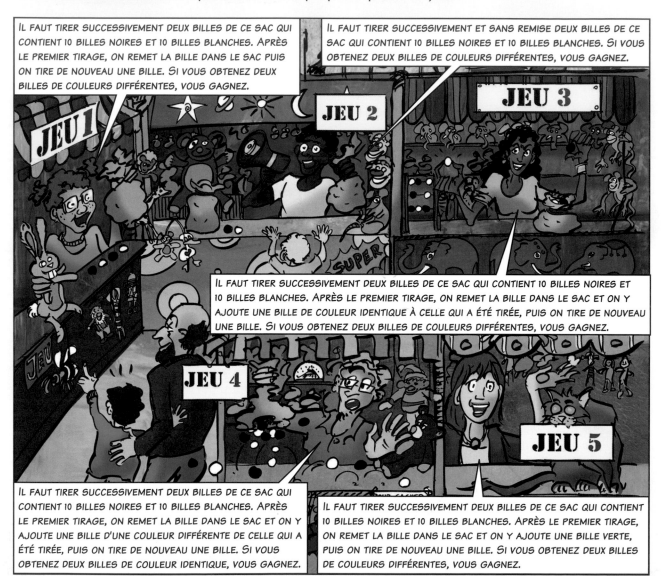

IL FAUT TIRER SUCCESSIVEMENT DEUX BILLES DE CE SAC QUI CONTIENT 10 BILLES NOIRES ET 10 BILLES BLANCHES. APRÈS LE PREMIER TIRAGE, ON REMET LA BILLE DANS LE SAC PUIS ON TIRE DE NOUVEAU UNE BILLE. SI VOUS OBTENEZ DEUX BILLES DE COULEURS DIFFÉRENTES, VOUS GAGNEZ.

JEU 1

IL FAUT TIRER SUCCESSIVEMENT ET SANS REMISE DEUX BILLES DE CE SAC QUI CONTIENT 10 BILLES NOIRES ET 10 BILLES BLANCHES. SI VOUS OBTENEZ DEUX BILLES DE COULEURS DIFFÉRENTES, VOUS GAGNEZ.

JEU 2

JEU 3

IL FAUT TIRER SUCCESSIVEMENT DEUX BILLES DE CE SAC QUI CONTIENT 10 BILLES NOIRES ET 10 BILLES BLANCHES. APRÈS LE PREMIER TIRAGE, ON REMET LA BILLE DANS LE SAC ET ON Y AJOUTE UNE BILLE DE COULEUR IDENTIQUE À CELLE QUI A ÉTÉ TIRÉE, PUIS ON TIRE DE NOUVEAU UNE BILLE. SI VOUS OBTENEZ DEUX BILLES DE COULEURS DIFFÉRENTES, VOUS GAGNEZ.

JEU 4

JEU 5

IL FAUT TIRER SUCCESSIVEMENT DEUX BILLES DE CE SAC QUI CONTIENT 10 BILLES NOIRES ET 10 BILLES BLANCHES. APRÈS LE PREMIER TIRAGE, ON REMET LA BILLE DANS LE SAC ET ON Y AJOUTE UNE BILLE D'UNE COULEUR DIFFÉRENTE DE CELLE QUI A ÉTÉ TIRÉE, PUIS ON TIRE DE NOUVEAU UNE BILLE. SI VOUS OBTENEZ DEUX BILLES DE COULEUR IDENTIQUE, VOUS GAGNEZ.

IL FAUT TIRER SUCCESSIVEMENT DEUX BILLES DE CE SAC QUI CONTIENT 10 BILLES NOIRES ET 10 BILLES BLANCHES. APRÈS LE PREMIER TIRAGE, ON REMET LA BILLE DANS LE SAC ET ON Y AJOUTE UNE BILLE VERTE, PUIS ON TIRE DE NOUVEAU UNE BILLE. SI VOUS OBTENEZ DEUX BILLES DE COULEURS DIFFÉRENTES, VOUS GAGNEZ.

À quel jeu cette personne devrait-elle participer pour maximiser ses chances de gagner?

À l'origine, un des objectifs des fêtes foraines était de transmettre les dernières nouvelles à travers la région en plus d'offrir certains divertissements, dont des manèges, des jeux d'adresse et des jeux de hasard.

ACTIVITÉ 1 Des probabilités médicales

On analyse les résultats des tests de dépistage d'une maladie effectués auprès de 1000 individus. Une première équipe médicale vérifie si chacun des tests est positif ou négatif. Une seconde équipe vérifie si chacun des tests est valide ou non valide. Voici 4 événements possibles et 2 diagrammes de Venn en lien avec ces événements :

A : le test est positif
B : le test est négatif
C : le test est valide
D : le test est non valide

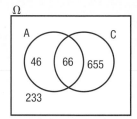
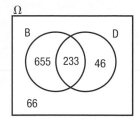

a. Combien y a-t-il de tests :

1) positifs ?

2) non valides ?

3) positifs et valides ?

4) négatifs ou non valides ?

5) positifs et non valides ?

6) valides ou non valides ?

b. Complétez les deux diagrammes de Venn ci-dessous.

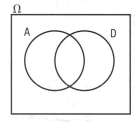
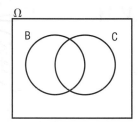

c. On choisit successivement et au hasard deux tests parmi les 1000 tests effectués. Quelle est la probabilité d'obtenir :

1) deux tests positifs, si l'on remet le premier test choisi avec les autres tests ?

2) deux tests non valides, si l'on ne remet pas le premier test choisi avec les autres tests ?

3) un test positif valide suivi d'un test négatif non valide, si l'on remet le premier test choisi avec les autres tests ?

4) un test positif valide suivi d'un test négatif non valide, si l'on ne remet pas le premier test choisi avec les autres tests ?

Un résultat déclaré positif alors qu'il ne l'était pas est appelé *faux positif*.

CONNECTEURS LOGIQUES

Les connecteurs logiques «et» et «ou» peuvent être utilisés pour décrire un événement.

Ex.: On lance un dé à 6 faces numérotées de 1 à 6.

- Le résultat qui satisfait l'événement «obtenir un nombre pair **et** premier» est 2 puisqu'il satisfait simultanément les deux caractéristiques énoncées.

- Les résultats qui satisfont l'événement «obtenir un nombre pair **ou** premier» sont 2, 3, 4, 5 et 6 puisque chacun satisfait l'une, l'autre ou les deux caractéristiques énoncées.

DIAGRAMME DE VENN

Un diagramme de Venn permet de représenter graphiquement des relations entre des ensembles. En probabilités, chaque ensemble correspond généralement aux résultats qui satisfont un événement donné.

Dans un diagramme de Venn:

Ex.: On lance un dé à 10 faces numérotées de 1 à 10. Voici deux événements possibles:

Événement A: obtenir un nombre supérieur à 5
Événement B: obtenir un nombre pair

- l'intersection de deux ensembles A et B, qui s'écrit A ∩ B, comprend les éléments communs à ces deux ensembles;

1)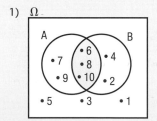

A ∩ B = {6, 8, 10}, ce qui correspond aux nombres à la fois supérieurs à 5 **et** pairs.

> Le symbole ∩ est souvent associé au connecteur logique «et».

- la réunion de deux ensembles A et B, qui s'écrit A ∪ B, comprend tous les éléments de ces deux ensembles.

2)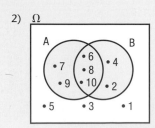

A ∪ B = {2, 4, 6, 7, 8, 9, 10}, ce qui correspond aux nombres supérieurs à 5 **ou** pairs.

> Le symbole ∪ est souvent associé au connecteur logique «ou».

ÉVÉNEMENTS MUTUELLEMENT EXCLUSIFS ET ÉVÉNEMENTS NON MUTUELLEMENT EXCLUSIFS

Deux événements sont mutuellement exclusifs s'ils ne peuvent pas se produire en même temps, c'est-à-dire si A ∩ B = ∅.

Deux événements sont non mutuellement exclusifs s'ils peuvent se produire en même temps, c'est-à-dire si A ∩ B ≠ ∅.

Ex.: On lance un dé à 6 faces numérotées de 1 à 6. L'événement A «obtenir un nombre inférieur à 3» et l'événement B «obtenir un nombre supérieur à 4» sont mutuellement exclusifs, car A ∩ B = ∅.

Ex.: On lance un dé à 6 faces numérotées de 1 à 6. L'événement C «obtenir un nombre pair» et l'événement D «obtenir un diviseur de 6» sont non mutuellement exclusifs, car C ∩ D ≠ ∅.

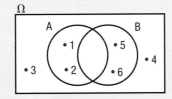

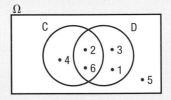

La probabilité de l'événement «obtenir un nombre inférieur à 3 ou un nombre supérieur à 4» se note comme suit:

$$P(A \cup B) = P(A) + P(B)$$
$$= \frac{2}{6} + \frac{2}{6}$$
$$= \frac{2}{3}$$

La probabilité de l'événement «obtenir un nombre pair ou un diviseur de 6» se note comme suit:

$$P(C \cup D) = P(C) + P(D) - P(C \cap D)$$
$$= \frac{3}{6} + \frac{4}{6} - \frac{2}{6}$$
$$= \frac{5}{6}$$

> On doit soustraire la probabilité de l'intersection pour éviter qu'elle soit comptée en double.

Deux événements mutuellement exclusifs dont l'union forme l'univers des résultats possibles sont complémentaires. L'événement complémentaire à l'événement A se note A' et on a:

$$P(A) + P(A') = 1$$

ÉVÉNEMENTS INDÉPENDANTS ET ÉVÉNEMENTS DÉPENDANTS

Deux événements A et B sont indépendants si la réalisation de l'un n'influe pas sur la probabilité de réalisation de l'autre.

Deux événements A et B sont dépendants si la réalisation de l'un influe sur la probabilité de réalisation de l'autre

Ex.: On lance à deux reprises un dé à 6 faces numérotées de 1 à 6. La probabilité que se produise l'événement A «obtenir 4 au premier lancer» et l'événement B «obtenir 3 au second lancer» se note:

$$P(A \cap B) = \frac{1}{6} \times \frac{1}{6}$$
$$= \frac{1}{36}$$

Ex.: On tire deux boules sans remise d'une urne contenant 49 boules numérotées de 1 à 49. La probabilité que se produise l'événement C «obtenir la boule 7 au premier tirage» et l'événement D «obtenir la boule 5 au second tirage» se note:

$$P(C \cap D) = \frac{1}{49} \times \frac{1}{48}$$
$$= \frac{1}{2352}$$

> Puisqu'on ne remet pas dans l'urne la première boule tirée.

1 Dans chaque cas, déterminez si les événements A et B sont mutuellement exclusifs. Expliquez votre réponse.

a) $P(A \cup B) = 0{,}75$, $P(A) = 0{,}45$ et $P(B) = 0{,}3$.

b) $P(A \cap B) = 0{,}1$

c) Les événements A et B sont complémentaires.

d) $A \cap B = \varnothing$

2 On lance un dé à 6 faces numérotées de 1 à 6 et on observe la face supérieure. Voici 3 événements possibles :

A : obtenir un nombre pair   B : obtenir 3   C : obtenir 1 ou 6

a) Peut-on dire que :

1) les événements A et B sont mutuellement exclusifs ? Expliquez votre réponse.

2) les événements A et C sont mutuellement exclusifs ? Expliquez votre réponse.

b) Calculez :

1) $P(A \cup B)$ 2) $P(A \cup C)$

L'origine des dés est incertaine, mais on sait que leur première apparition date de la préhistoire.

3 On réalise des expériences aléatoires à plusieurs étapes. Dans chaque cas, déterminez si les événements A et B sont dépendants ou indépendants.

a) A : tirer une bille verte d'un sac de billes
B : obtenir face lors du lancer d'une pièce de monnaie

b) A : prendre au hasard un kiwi dans un bol de fruits et le manger
B : prendre au hasard un second kiwi dans le même bol.

c) A : obtenir 4 lors du lancer d'un dé
B : obtenir 4 lors d'un deuxième lancer du même dé

Le kiwi est originaire de Chine, mais est principalement cultivé en Nouvelle-Zélande, en Italie et en France. Il tient son nom de la ressemblance de sa peau avec celle de l'oiseau du même nom, qui est le symbole de la Nouvelle-Zélande.

4 Dans une entreprise, 45 des 95 employés sont des femmes. Parmi les employés, 24 femmes et 32 hommes ont une formation universitaire.

a) Remplissez un diagramme de Venn semblable à celui illustré ci-contre, qui représente cette situation.

b) Si une personne est choisie au hasard parmi ces employés, calculez la probabilité qu'elle soit une femme ou qu'elle ait une formation universitaire.

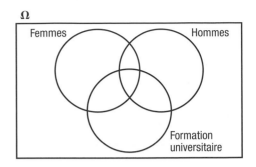

5 On choisit une personne au hasard dans la rue et on note certaines de ses caractéristiques. Dans chaque cas, déterminez si les événements A et B sont mutuellement exclusifs ou non mutuellement exclusifs.

a) A : la personne est un homme
   B : la personne est une femme

b) A : la personne a les yeux bleus
   B : la personne a les cheveux bruns

c) A : la taille de la personne est supérieure à 1,5 m
   B : la taille de la personne est supérieure à 1,7 m

d) A : la personne est née en juin
   B : la personne est née en été

La couleur des yeux vient de la mélanine, qui détermine aussi la couleur des cheveux et de la peau. Moins il y a de mélanine dans l'iris, moins la couleur des yeux sera foncée, et vice versa.

6 Vérifiez si les égalités suivantes sont vraies ou fausses. Si l'égalité est fausse, remplacez le membre de droite de sorte qu'elle soit vraie.

a) $(A \cup B) \cup C = A \cup (B \cup C)$ ✓

b) $(A \cap B) \cap C = A \cap (B \cap C)$

c) $(A \cap B) \cup C = A \cap (B \cup C)$

d) $A \cap (B \cup C) = (A \cap B) \cup (A \cap C)$

e) $A \cup (B \cap C) = (A \cup B) \cap (A \cup C)$

f) $(A \cup B)' = A' \cup B'$

g) $A \cap \varnothing = A$

h) $A \cup \varnothing = \varnothing$

7 Dans chaque cas, hachurez dans un diagramme de Venn semblable à celui illustré ci-contre la région associée à l'expression donnée.

a) $A \cap B$

b) $A \cup C$

c) $A \cap B \cap C$

d) $(A \cap B) \cup C$

e) $A \cap (B \cup C)$

f) $A \cup (B \cap C)$

g) $A' \cap B'$

h) $A' \cap A$

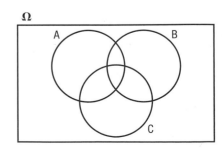

8 À l'aide d'un diagramme de Venn, montrez que:

a) $(A \cup B)' = A' \cap B'$ b) $(A \cap B)' = A' \cup B'$

9 Dans un groupe de 35 personnes:

- 7 personnes sont gauchères;
- 15 personnes portent des lunettes;
- 17 personnes ont les cheveux bruns;
- 3 personnes ayant les cheveux bruns portent des lunettes et sont gauchères;
- 25 personnes ont les cheveux bruns ou portent des lunettes;
- 7 personnes ont les cheveux bruns et portent des lunettes;
- 20 personnes sont gauchères ou ont les cheveux bruns;
- 5 personnes portent des lunettes et sont gauchères.

On choisit au hasard une personne dans ce groupe. Voici 3 événements possibles:

A: choisir une personne gauchère
B: choisir une personne qui porte des lunettes
C: choisir une personne qui a les cheveux bruns

a) Représentez cette situation par un diagramme de Venn.

b) Exprimez chacun des énoncés ci-dessous à l'aide du langage ensembliste.
   1) Choisir une personne qui porte des lunettes et qui est gauchère.
   2) Choisir une personne gauchère qui porte des lunettes ou qui a les cheveux bruns.
   3) Choisir une personne qui a les cheveux bruns et qui porte des lunettes ou une personne gauchère qui a les cheveux bruns.

c) Calculez:
   1) $P(A \cup B)$ 2) $P(A \cap B)$ 3) $P(A \cup B \cup C)$
   4) $P((A \cap B) \cap C)$ 5) $P((A \cup B) \cap C)$ 6) $P((B \cap C) \cup A)$

d) Calculez la probabilité de choisir une personne:
   1) qui porte des lunettes et qui n'a pas les cheveux bruns;
   2) qui ne porte pas de lunettes et qui n'est pas gauchère;
   3) qui est gauchère, qui ne porte pas de lunettes et qui n'a pas les cheveux bruns.

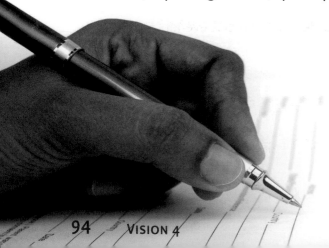

On estime qu'entre 10 et 12 % de la population est composée de gauchers. Le fait d'avoir un parent gaucher augmenterait la probabilité d'un enfant d'être gaucher.

10 Si A ∪ B = A, à quoi correspond A ∩ B? Expliquez votre réponse.

11 Voici le contenu de trois urnes:

Urne Ⓐ

5 billes vertes
4 billes rouges

Urne Ⓑ

6 billes rouges
4 billes noires

Urne Ⓒ

4 billes vertes
7 billes noires

On tire une bille de l'urne Ⓐ, puis on la remet dans l'urne. Si la bille tirée est:

- rouge, le deuxième tirage se fait dans l'urne Ⓑ;
- verte, le deuxième tirage se fait dans l'urne Ⓒ.

a) Les événements composés qui découlent de cette expérience sont-ils constitués d'événements dépendants ou indépendants? Expliquez votre réponse.

b) Quelle est la probabilité de l'événement:
   1) «tirer une bille verte au premier tirage et une bille rouge au second tirage»?
   2) «tirer deux billes de la même couleur»?
   3) «tirer une seule bille noire»?

c) Dans cette situation, décrivez deux événements:
   1) mutuellement exclusifs;
   2) non mutuellement exclusifs.

12 À l'aide d'un diagramme de Venn, représentez trois ensembles A, B et C non vides tels que:

a) A ∩ B ≠ ∅, B ∩ C ≠ ∅ et A ∩ C = ∅;

b) A ∪ B ∪ C = A ∪ B et B ∩ C = C;

c) A ∪ B ∪ C = C et A ∩ B = B.

13 On lance à deux reprises un dé à 6 faces numérotées de 1 à 6. Voici 2 événements possibles:

> A: obtenir une somme paire
> B: obtenir une somme supérieure ou égale à 7

a) Ces deux événements sont-ils mutuellement exclusifs? Expliquez votre réponse.

b) Calculez:
   1) $P(A)$ 2) $P(B)$ 3) $P(A \cap B)$ 4) $P(A \cup B)$

GROUPES SANGUINS Voici des renseignements sur la compatibilité de groupes sanguins lors de transfusions sanguines et sur la répartition des groupes sanguins dans la population canadienne.

Compatibilité de groupes sanguins

Receveur \ Donneur	O	A	B	AB
O	✔			
A	✔	✔		
B	✔		✔	
AB	✔	✔	✔	✔

Répartition de la population canadienne d'après les groupes sanguins

O	A	B	AB
46%	42%	9%	3%

a) Au Canada, quelle est la probabilité qu'une personne choisie au hasard soit compatible avec:

1) un donneur O?
2) un receveur B?
3) un receveur AB?
4) un donneur A?
5) un receveur A et un receveur B?
6) un donneur AB ou un donneur B?

b) Si l'on choisit deux personnes au hasard, quelle est la probabilité que leurs groupes sanguins soient compatibles d'une manière ou d'une autre?

Avant la découverte des différents groupes sanguins, beaucoup de transfusions se soldaient par un échec, car le système immunitaire du receveur associait les cellules sanguines du donneur, non compatible, à des organismes nuisibles et les détruisait.

15 Voici des événements en lien avec les prévisions météorologiques de trois journées consécutives:

A: il pleuvra lundi
B: il pleuvra lundi et mardi
C: il pleuvra mardi ou mercredi

On a aussi: $P(A) = 0,45$, $P(B) = 0,3$ et $P(C) = 0,8$.

a) Calculez la probabilité qu'il pleuve:

1) mardi;
2) mercredi;
3) lundi ou mercredi;
4) lundi, mardi et mercredi.

Les météorologues déterminent les probabilités d'orage à l'aide d'indices, par exemple l'indice TT (pour total-total), obtenu en calculant les différences entre les températures mesurées à plusieurs altitudes.

b) Calculez la probabilité qu'il pleuve au moins une journée parmi les trois jours.

16 Une élève choisit aléatoirement et sans répétition trois notes parmi les huit notes de la gamme de *do* majeur représentée ci-contre.

L'accord formé par les trois notes est un accord de :
- *do* majeur s'il est constitué uniquement de notes qui font partie de l'ensemble {*do, mi, sol, do* (aigu)} ;
- *sol* majeur s'il est constitué des notes *ré, sol* et *si.*

Voici 3 événements en lien avec cette situation :

A : obtenir un accord de *do* majeur
B : obtenir un accord qui contient la note *sol*
C : obtenir un accord de *sol* majeur

a) Traduisez en mots les événements suivants.

    1) A ∪ B   2) A ∩ C   3) B ∩ C

b) À partir des événements A, B et C, identifiez :

    1) deux paires d'événements non mutuellement exclusifs ;

    2) une paire d'événements mutuellement exclusifs.

c) Calculez la probabilité d'obtenir un accord de :

    1) *do* majeur ;

    2) *do* majeur qui contient la note *sol* ;

    3) *sol* majeur ou un accord qui contient la note *sol.*

Certains compositeurs de musique ont introduit le hasard dans leurs œuvres. Ainsi, John Cage (1912-1992) a composé certaines de ses œuvres à l'aide de tirages.

17 Le tableau ci-contre indique la répartition des employés d'une entreprise selon le sexe et la langue maternelle.

On choisit au hasard un membre du personnel de cette entreprise pour une formation. Voici trois événements possibles :

A : le membre du personnel est un homme
B : le membre du personnel est une femme
C : le membre du personnel est anglophone

Employés d'une entreprise

Langue maternelle \ Sexe	Homme	Femme	Total
Français	34	77	111
Anglais	21	11	32
Autre	10	4	14
Total	65	92	157

a) Représentez les événements précédents dans un diagramme de Venn en y indiquant les nombres appropriés.

b) Calculez :

    1) *P*(A ∪ B)   2) *P*(A ∪ C)   3) *P*(B ∪ C)   4) *P*(A ∩ C)   5) *P*(B ∩ C)

On forme au hasard une équipe de trois employés. Voici 3 événements possibles :

D : choisir un membre du personnel anglophone lors du 1er choix
E : choisir une femme lors du 2e choix
F : choisir un membre du personnel francophone lors du 3e choix

c) Les événements D, E et F sont-ils dépendants ou indépendants ? Expliquez votre réponse.

d) Calculez *P*(D ∩ E ∩ F).

Cette section est en lien avec la SAÉ 10.

 PROBLÈME Le paradoxe des deux enfants

Voici deux situations qui sont, en apparence, similaires.

Situation ①

Situation ②

 Pourquoi les deux probabilités sont-elles différentes ?

ACTIVITÉ 1 Sachant que...

Une expérience consiste à tirer, les yeux bandés, une boule d'une urne qui contient :

- 5 boules blanches numérotées de 1 à 5 ;
- 6 boules noires numérotées de 6 à 11 ;
- 5 boules vertes numérotées de 3 à 7.

Voici 2 événements possibles :

> A : obtenir une boule verte
> B : obtenir une boule portant un nombre pair

a. Dans un diagramme de Venn semblable à celui illustré ci-contre, inscrivez chaque résultat à l'endroit approprié.

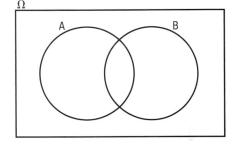

b. Expliquez pourquoi les événements A et B sont non mutuellement exclusifs.

c. Calculez :

1) $P(A)$ 2) $P(B)$ 3) $P(A \cap B)$

d. 1) On indique à la personne ayant effectué le tirage que le nombre inscrit sur la boule est pair. Quelle est la probabilité que la boule tirée soit verte ? Expliquez votre réponse.

2) Comparez votre réponse avec celle donnée en **c** 1). Que remarquez-vous ?

e. Expliquez l'effet de la réalisation de l'événement « obtenir une boule qui porte un nombre pair » sur la probabilité de réalisation de l'événement « obtenir une boule verte ».

f. On procède à un autre tirage. Quelle est la probabilité que :

1) la boule tirée porte un nombre pair sachant qu'elle est blanche ?
2) la boule tirée porte un nombre impair sachant qu'elle n'est pas noire ?
3) la boule tirée soit noire, sachant qu'elle porte un nombre pair ?

PROBABILITÉ CONDITIONNELLE

Une probabilité conditionnelle est la probabilité qu'un événement se produise sachant qu'un autre événement s'est déjà produit. La probabilité que l'événement B se produise sachant que l'événement A s'est déjà produit se note :

$$P(\text{B étant donné A}) = P(\text{B}|\text{A}) = \frac{P(\text{A} \cap \text{B})}{P(\text{A})}, \text{ où } P(\text{A}) \neq 0.$$

Ex. : On lance un dé à 6 faces numérotées de 1 à 6 et on observe la face supérieure. Voici 2 événements possibles :

A : obtenir un nombre impair
B : obtenir un nombre supérieur à 2

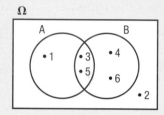

La probabilité d'obtenir un nombre supérieur à 2 sachant que la face supérieure du dé montre un nombre impair se note :

$$P(\text{B}|\text{A}) = \frac{P(\text{A} \cap \text{B})}{P(\text{A})} = \frac{\frac{1}{3}}{\frac{1}{2}} = \frac{2}{3}$$

La probabilité conditionnelle intervient dans le calcul de la probabilité d'un événement composé de deux événements intermédiaires A et B dépendants. Cette probabilité se note :

$$P(\text{A} \cap \text{B}) = P(\text{A}) \times P(\text{B}|\text{A})$$

Ex. : On tire deux billes sans remise d'une urne contenant 4 billes rouges, 5 billes jaunes et 3 billes vertes. Voici 3 événements possibles :

A : la bille obtenue au premier tirage est jaune
B : la bille obtenue au second tirage est rouge
C : la bille obtenue au second tirage est verte

On a :

$$P(\text{A} \cap \text{B}) = P(\text{A}) \times P(\text{B}|\text{A}) = \frac{5}{12} \times \frac{4}{11} = \frac{20}{132} = \frac{5}{33}$$

$$P(\text{A} \cap \text{C}) = P(\text{A}) \times P(\text{C}|\text{A}) = \frac{5}{12} \times \frac{3}{11} = \frac{15}{132} = \frac{5}{44}$$

1 On lance un dé à 6 faces numérotées de 1 à 6 et on observe la face supérieure.

Quelle est la probabilité que le résultat soit :

a) un nombre pair sachant qu'il est supérieur à 2 ?

b) un multiple de 3 sachant qu'il est inférieur à 5 ?

c) un diviseur de 6 sachant qu'il est pair ?

d) un nombre premier sachant qu'il est pair ?

e) un multiple de 4 sachant qu'il est supérieur à 4 ?

2 Voici des renseignements sur la probabilité de plusieurs événements :

$P(A) = 0,31$ $P(B) = 0,52$ $P(A \cup B) = 0,67$

$P(C) = 0,46$ $P(A \cap C) = 0,13$ $P(B \cap C) = 0$

Calculez :

a) $P(A|B)$ b) $P(B|A)$ c) $P(A|C)$ d) $P(C|A)$ e) $P(C|B)$ f) $P(B|C)$

3 Une expérience consiste à tirer au hasard une carte dans un jeu de 52 cartes.
Voici 4 événements possibles :

A : obtenir une figure
B : obtenir un roi
C : obtenir une carte rouge
D : obtenir une carte de cœur

L'origine des cartes à jouer est incertaine, mais elles auraient été inventées en Chine ou au Moyen-Orient. Le modèle à double tête, utilisé de nos jours, date des années 1830.

Calculez :

a) $P(B|A)$ b) $P(B|C)$ c) $P(B|D)$ d) $P(C|A)$ e) $P(C|B)$ f) $P(D|C)$

4 Tous les résultats indiqués dans le diagramme de Venn ci-contre sont équiprobables.

Déterminez :

a) $P(A|B)$

b) $P(B|A)$

c) $P(A|C)$

d) $P(C|A)$

e) $P((A \cap B)|B)$

f) $P(B|(A \cap C))$

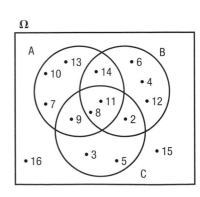

5 Que pouvez-vous conclure quant à la relation entre deux événements A et B de probabilité non nulle si:

a) $P(B|A) = 1$? b) $P(B|A) = P(B)$? c) $P(B|A) = 0$?

6 Une entreprise fabrique des forets à l'aide d'un tour informatisé. Le tableau à double entrée ci-dessous fournit des renseignements sur la qualité des forets lors d'une inspection.

Contrôle de qualité des forets

	Non défectueux	Défectueux	Total
Nombre de forets à bois	540	34	
Nombre de forets à ciment			
Total	1410		1500

a) Si l'on prend au hasard un foret parmi ceux qui ont été inspectés, quelle est la probabilité de prendre:

1) un foret à bois?

2) un foret défectueux sachant qu'il s'agit d'un foret à ciment?

3) un foret à bois sachant qu'il est défectueux?

Si l'on prend successivement 2 forets défectueux du même type, tous les forets de ce type sont rejetés.

b) Quelle est la probabilité de rejeter:

1) tous les forets à bois? 2) tous les forets à ciment?

7 Afin d'étudier l'efficacité d'un vaccin contre la grippe, on l'administre à la moitié d'un échantillon de 20 000 personnes. De cet échantillon, 550 personnes ayant reçu le vaccin et 2250 personnes n'ayant pas reçu le vaccin ont contracté la grippe. On choisit une personne au hasard dans cet échantillon. Voici 4 événements possibles:

A: la personne a contracté la grippe
B: la personne n'a pas contracté la grippe
C: la personne a été vaccinée
D: la personne n'a pas été vaccinée

Selon l'Organisation mondiale de la santé (OMS), la vaccination est une stratégie essentielle pour assurer la sécurité sanitaire mondiale et faire face à la menace d'infections émergentes.

a) Calculez la probabilité qu'une personne:

1) ait été vaccinée sachant qu'elle a contracté la grippe;

2) ait contracté la grippe sachant qu'elle n'a pas été vaccinée;

3) n'ait pas été vaccinée sachant qu'elle n'a pas contracté la grippe;

4) n'ait pas contracté la grippe sachant qu'elle n'a pas été vaccinée.

b) À quel énoncé de la question précédente correspond chacune des probabilités suivantes?

1) $P(A|D)$ 2) $P(B|D)$ 3) $P(C|A)$ 4) $P(D|B)$

c) L'efficacité du vaccin correspond à la probabilité qu'une personne ne contracte pas la grippe sachant qu'elle a été vaccinée. Quelle est l'efficacité de ce vaccin?

8 On lance simultanément une pièce de 5 ¢ et une pièce de 10 ¢.

Bien qu'elles soient la plupart du temps rondes, les pièces de monnaie peuvent avoir différentes formes.

a) Quelle est la probabilité que :

   1) la pièce de 5 ¢ montre le côté face sachant que la pièce de 10 ¢ montre le côté pile ?

   2) la pièce de 5 ¢ montre le côté pile sachant que les deux pièces montrent le même côté ?

   3) les deux pièces montrent des côtés différents sachant que la pièce de 5 ¢ montre le côté face ?

b) Dans chacun des cas précédents, l'information donnée à propos du résultat modifie-t-elle la probabilité de l'événement recherché ? Expliquez votre réponse.

9 **THÉORÈME DE BAYES** Selon la définition des probabilités conditionnelles, on a les égalités suivantes :

$$P(B\,|\,A) = \frac{P(A \cap B)}{P(A)} \text{ et } P(A\,|\,B) = \frac{P(A \cap B)}{P(B)}.$$

À partir de ces deux égalités, on peut déduire le théorème de Bayes qui se note :

$$P(B\,|\,A) = \frac{P(A\,|\,B) \times P(B)}{P(A)}$$

a) Expliquez comment il est possible d'obtenir le théorème de Bayes à partir des deux égalités énoncées ci-dessus.

Voici le contenu de deux urnes :

Urne ①
10 boules noires
10 boules blanches

Urne ②
8 boules noires
12 boules blanches

Une personne choisit une urne au hasard, puis tire au hasard une boule de cette urne.

b) Sans utiliser le théorème de Bayes, calculez la probabilité que la boule obtenue :

   1) soit blanche ;

   2) provienne de l'urne ① ;

   3) soit noire ;

   4) provienne de l'urne ② ;

   5) soit blanche et qu'elle provienne de l'urne ① ;

   6) soit blanche sachant qu'elle provient de l'urne ① ;

   7) soit noire sachant qu'elle provient de l'urne ②.

Thomas Bayes (1702-1761)

c) En utilisant le théorème de Bayes, calculez la probabilité que la boule tirée provienne de :

   1) l'urne ① sachant qu'elle est blanche ;

   2) l'urne ② sachant qu'elle est noire.

Autant en mathématiques que dans des contextes sociaux, le théorème de Bayes permet de déterminer le degré de vraisemblance d'un énoncé.

10 Un organisme se sert des deux tableaux suivants pour établir des probabilités concernant le port de la ceinture de sécurité en voiture.

Échantillon

Sexe \ Âge	[16, 20[	[20, 25[	[25, 40[	[40, 60[	Total
Homme	150	175	200	150	675
Femme	150	150	140	250	690
Total	300	325	340	400	1365

Pourcentage des personnes qui ne portaient pas leur ceinture de sécurité

Sexe \ Âge	[16, 20[	[20, 25[	[25, 40[	[40, 60[
Homme (%)	65	43	15	16
Femme (%)	64	32	3	7

Lors d'un contrôle routier, quelle est la probabilité que la personne interpellée :

a) porte sa ceinture si c'est une femme ?

b) ne porte pas sa ceinture si c'est un homme âgé de [40, 60[ans ?

c) soit un homme âgé de [20, 25[ans s'il porte sa ceinture ?

d) soit une femme âgée de [16, 20[ans si elle ne porte pas sa ceinture ?

> Selon plusieurs études menées à l'échelle internationale, le port de la ceinture de sécurité réduit le risque de décès de 40 à 65 % pour les passagers assis à l'avant et de 25 à 75 % pour les passagers assis à l'arrière, en cas d'accident.

11 Voici six téléviseurs et six télécommandes :

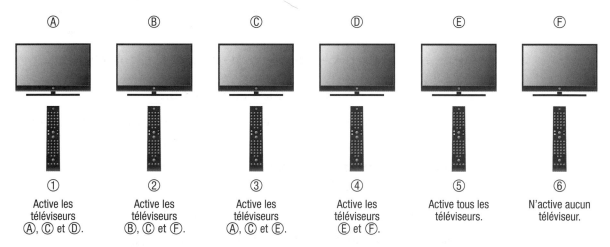

① Active les téléviseurs Ⓐ, Ⓒ et Ⓓ. ② Active les téléviseurs Ⓑ, Ⓒ et Ⓕ. ③ Active les téléviseurs Ⓐ, Ⓒ et Ⓔ. ④ Active les téléviseurs Ⓔ et Ⓕ. ⑤ Active tous les téléviseurs. ⑥ N'active aucun téléviseur.

a) Une télécommande est choisie au hasard. Quelle est la probabilité que cette télécommande active :

1) le téléviseur Ⓑ ? 2) les téléviseurs Ⓒ et Ⓔ ? 3) les téléviseurs Ⓐ, Ⓑ ou Ⓕ ?

b) Quelle est la probabilité que la télécommande choisie soit :

1) la télécommande ③ sachant qu'elle active le téléviseur Ⓒ ?

2) la télécommande ① sachant qu'elle n'active pas le téléviseur Ⓕ ?

3) une télécommande qui active les téléviseurs Ⓔ et Ⓕ sachant qu'elle n'active pas le téléviseur Ⓑ ?

c) Ali choisit une télécommande au hasard et affirme qu'il a 1 chance sur 6 que la télécommande allume tous les téléviseurs. Il teste sa télécommande et parvient à activer le téléviseur Ⓑ. La probabilité que cette télécommande allume tous les téléviseurs a-t-elle augmenté ou diminué ? Expliquez votre réponse.

12 Le tableau à double entrée ci-dessous présente une partie des résultats de deux contrôles antidopage passés par des cyclistes à la suite d'une compétition masculine.

Contrôles antidopage

Présence d'hormones de croissance \ Présence d'EPO	Probabilité qu'un cycliste ait un résultat positif (%)	Probabilité qu'un cycliste ait un résultat négatif (%)	Total (%)
Probabilité qu'un cycliste ait un résultat positif (%)	▭	9,375	▭
Probabilité qu'un cycliste ait un résultat négatif (%)	6,25	▭	75
Total (%)	21,875	▭	▭

a) Complétez le tableau ci-dessus.

b) Quelle est la probabilité qu'un cycliste choisi au hasard ait un résultat positif lors des deux contrôles sachant qu'il a eu un résultat positif à l'un des deux contrôles?

> Bien que pouvant causer de graves problèmes de santé en raison du risque d'hypertension artérielle, l'EPO, ou érythropoïétine, est utilisée par certains sportifs pour améliorer leurs performances en raison de sa capacité à augmenter les globules rouges dans le sang.

13 Voici des renseignements à propos de trois pièces de monnaie de collection:

- 75 % des collectionneurs possèdent au moins une des 3 pièces.

- 35 % des collectionneurs possèdent la pièce A, 30 % possèdent la pièce B et 42,5 % possèdent la pièce C.

- 27 collectionneurs possèdent les pièces A et B, 45 possèdent les pièces B et C et 54 possèdent les pièces A et C.

- 5 % des collectionneurs possèdent seulement les pièces A et B.

- Au total, 90 collectionneurs ne possèdent aucune de ces pièces.

a) Combien y a-t-il de collectionneurs?

On choisit un collectionneur au hasard.

b) Quelle est la probabilité qu'il possède les trois pièces?

c) Quelle est la probabilité qu'il possède les trois pièces sachant qu'il a:
  1) les pièces A et C?
  2) deux pièces dont la pièce A?

> La valeur des pièces de monnaie de collection varie selon l'ancienneté, la rareté, le niveau de conservation et le métal dont elles sont faites.

14 Sur la figure ci-contre, les côtés des deux carrés et le diamètre du cercle ont la même mesure. Quelle est la probabilité qu'un point choisi aléatoirement sur cette figure soit situé dans la région:

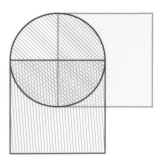

a) rouge, sachant que ce point est situé dans la région bleue?

b) verte, sachant que ce point est situé dans la région rouge?

c) bleue, sachant que ce point est situé dans la région verte?

d) qui a trois couleurs sachant que ce point est situé dans une région qui a au moins deux couleurs?

15 Une personne s'endort le dimanche soir et s'attend à recevoir un colis. On estime à:

- 70 % la probabilité qu'elle se réveille lundi et à 30 % la probabilité qu'elle se réveille mardi;

- 90 % la probabilité qu'elle reçoive le colis lundi et à 10 % la probabilité qu'elle reçoive le colis mardi;

- 80 % les probabilités d'averses pour lundi et à 40 % les probabilités d'averses pour mardi.

a) Construisez l'arbre des probabilités associé à cette situation.

b) Quelle est la probabilité que cette personne se réveille:

1) lundi et qu'il pleuve?

2) lundi et qu'il ne pleuve pas?

3) lundi, qu'il pleuve et qu'elle ait reçu le colis?

4) mardi, qu'il ne pleuve pas et qu'elle n'ait pas reçu le colis?

c) 1) La personne se réveille, ouvre les rideaux de sa chambre et constate qu'il pleut. Quelle est la probabilité que ce soit:

i) lundi?   ii) mardi?

2) De plus, elle constate qu'elle n'a pas reçu le colis. Quelle est la probabilité que ce soit:

i) lundi?   ii) mardi?

SECTION 4.3 Les procédures de vote

Cette section est en lien avec la SAÉ 11.

PROBLÈME Le conseil étudiant

Dans une école, chaque classe doit élire un ou une élève pour siéger au conseil étudiant. Dans une classe de 33 élèves, trois candidats se présentent : Julie, Mahmoud et Elsa. On présente ci-contre le bulletin de vote que doit remplir chaque élève.

Qui devrait vous représenter au conseil étudiant ? Ordonnez les trois candidats selon vos préférences.

Candidats	Préférences	
Julie Mahmoud Elsa	1er choix	
	2e choix	
	3e choix	

Voici les résultats obtenus :

Nombre d'élèves qui ont ordonné les candidats de cette façon	10	7	7	6	3
1er choix	Mahmoud	Julie	Elsa	Julie	Elsa
2e choix	Elsa	Mahmoud	Mahmoud	Elsa	Julie
3e choix	Julie	Elsa	Julie	Mahmoud	Mahmoud

Voici comment les responsables de l'élection interprètent ces résultats.

JULIE REMPORTE L'ÉLECTION, CAR ELLE OBTIENT LE PLUS GRAND NOMBRE DE VOTES DE 1ER CHOIX.

PLUS DE LA MOITIÉ DES ÉLECTEURS ONT PLACÉ JULIE EN DERNIER. ELLE NE PEUT DONC PAS ÊTRE VAINQUEUR.

JULIE OBTIENT LE PLUS GRAND NOMBRE DE VOTES DE 1ER CHOIX. CEPENDANT, PLUS DE LA MOITIÉ DES ÉLECTEURS PRÉFÈRENT ELSA À JULIE. C'EST DONC ELSA QUI REMPORTE L'ÉLECTION.

PLUS DE LA MOITIÉ DES ÉLECTEURS PLACENT MAHMOUD EN 1ER OU EN 2E. IL REMPORTE DONC L'ÉLECTION.

Qui devrait remporter cette élection ?

Dans une ligue de hockey féminine, un comité de 53 membres doit élire, parmi trois candidates, la récipiendaire du trophée de l'athlète ayant la meilleure éthique de travail.

Voici les résultats obtenus:

Résultats du vote

Candidate	A	B	C
Nombre de votes reçus	16	17	20

a. Qui remporte le trophée si le comité déclare vainqueur:

1) la candidate qui obtient le plus de votes?

2) la candidate qui obtient plus de la moitié des votes?

> L'équipe nationale féminine de hockey du Canada est l'une des plus puissantes formations de la Fédération internationale de hockey sur glace. En 2010, elle a remporté la médaille d'or aux Jeux olympiques d'hiver de Vancouver.

Afin de nuancer l'analyse du vote, on demande aux membres du comité d'ordonner les candidates selon leurs préférences. Voici les résultats obtenus:

Résultats du vote

Nombre de membres qui ont ordonné les candidates de cette façon	11	11	9	9	7	6
1er choix	B	C	A	C	A	B
2e choix	C	B	B	A	C	A
3e choix	A	A	C	B	B	C

Plusieurs analyses sont possibles.

Analyse ①

b. Déterminez combien de membres préfèrent:

1) la candidate A à la candidate B;

2) la candidate B à la candidate A;

3) la candidate B à la candidate C;

4) la candidate C à la candidate B;

5) la candidate A à la candidate C;

6) la candidate C à la candidate A.

c. 1) Des candidates A et B, laquelle est la préférée des membres?

2) Des candidates B et C, laquelle est la préférée des membres?

3) Des candidates A et C, laquelle est la préférée des membres?

d. D'après les réponses aux questions **c**, qui est la récipiendaire du trophée?

Analyse ②

On attribue à chaque candidate:

- 3 points chaque fois qu'elle constitue le 1er choix d'un membre;
- 2 points chaque fois qu'elle constitue le 2e choix d'un membre;
- 1 point chaque fois qu'elle constitue le 3e choix d'un membre.

e. Quel est le nombre de points obtenus par la candidate:

1) A?   2) B?   3) C?

f. D'après les réponses aux questions **e**, qui est la récipiendaire du trophée?

Analyse ③

g. Déterminez le nombre de votes de 1er choix de la candidate:

1) A   2) B   3) C

h. 1) Une candidate a-t-elle obtenu plus de la moitié des votes de 1er choix?

2) On élimine la candidate ayant reçu le moins de votes de 1er choix. Quelle est cette candidate?

i. Pour chaque membre dont la candidate éliminée constituait le 1er choix, on transfère ce vote à la candidate qui constituait son 2e choix.

1) Combien de votes sont transférés à chacune des deux autres candidates?

2) Qui remporte alors le trophée?

Un autre comité doit élire la récipiendaire du trophée de l'athlète la plus utile à son équipe. On présente ci-contre un exemplaire du bulletin de vote distribué aux 74 membres du comité.

Le dépouillement du scrutin permet d'établir que:

- 32 membres ont coché les cases de Joyce Cramer et de Patricia Lagüe;
- 21 membres ont coché les cases de Joyce Cramer, de Marcelle Dubois et d'Ève Fortin;
- 12 membres ont coché les cases de Marcelle Dubois et de Patricia Lagüe;
- 9 membres ont coché les cases de Joyce Cramer, de Marcelle Dubois et d'Ève Fortin.

Êtes-vous d'accord pour que cette joueuse remporte le trophée de la joueuse la plus utile à son équipe?		
	OUI	**NON**
Joyce Cramer	❏	❏
Marcelle Dubois	❏	❏
Ève Fortin	❏	❏
Patricia Lagüe	❏	❏

j. Combien de membres du comité seraient d'accord que le trophée soit remporté par:

1) Joyce Cramer?   2) Marcelle Dubois?   3) Ève Fortin?   4) Patricia Lagüe?

k. Qui remporte ce trophée?

Les médailles qui ont été décernées aux Jeux olympiques d'hiver de 2010, à Vancouver, sont inspirées d'une œuvre d'art représentant l'orque (médailles olympiques) et le grand corbeau (médailles paralympiques).

ACTIVITÉ 2 Beaucoup d'appelés mais peu d'élus

Il existe différentes procédures qui permettent d'élire un gouvernement municipal, régional ou national. Peu importe la procédure utilisée, le parti politique qui obtient le plus grand nombre de sièges dirige le gouvernement.

Élection municipale

- Le Conseil municipal d'une ville compte 12 sièges, chacun étant associé à l'une des 12 circonscriptions.
- Chaque électeur ou électrice vote pour le candidat ou la candidate qui, à son avis, devrait représenter sa circonscription.
- Dans chaque circonscription, le candidat ou la candidate qui obtient le plus de votes remporte le siège.

Voici les résultats de l'élection municipale au cours de laquelle trois partis s'affrontent.

Pourcentage des votes obtenus par le candidat ou la candidate de chaque parti dans chaque circonscription

Circonscription / Parti	1	2	3	4	5	6	7	8	9	10	11	12
A	10%	35%	23%	24%	14%	7%	35%	40%	33%	33%	31%	17%
B	43%	33%	31%	51%	11%	48%	12%	28%	31%	33%	41%	6%
C	47%	32%	46%	25%	75%	45%	53%	32%	36%	34%	28%	77%

a. Quel parti remporte le siège de la circonscription:

1) 2?   2) 3?   3) 7?

b. Combien de sièges sont remportés par le parti:

1) A?   2) B?   3) C?

c. Quel parti dirigera le Conseil municipal?

- Une circonscription désigne une portion d'un territoire pour laquelle la population élit un ou plusieurs représentants.
- Chaque personne élue occupe un siège, c'est-à-dire une place disponible au Conseil ou au gouvernement.

Élection régionale

- Le Parlement d'une région comporte 120 sièges.
- Chaque électeur ou électrice vote pour un parti.
- Chaque parti obtient un nombre de sièges proportionnel au nombre de votes obtenus.

Voici les résultats des dernières élections dans cette région:

d. Quel est le nombre de sièges remportés par le parti:

1) D?   2) E?   3) F?

e. Quel parti dirigera le gouvernement?

Pourcentage des votes obtenus par chaque parti

Parti D	Parti E	Parti F
25%	20%	55%

En 2009, le Parlement du gouvernement canadien, appelé Chambre des communes, comptait 308 députés élus dans les 308 circonscriptions électorales fédérales. C'est à la Chambre des communes que se votent les lois fédérales.

savoirs 4.3

LES PROCÉDURES DE VOTE

Un **scrutin** désigne l'ensemble des procédures liées à un vote ou à une élection. Il existe plusieurs procédures de vote. En voici quelques-unes :

Règle de la majorité

Le candidat ou la candidate qui remporte la majorité absolue, c'est-à-dire plus de la moitié des votes, est vainqueur.

Règle de la pluralité

Le candidat ou la candidate qui remporte le plus grand nombre de votes est vainqueur.

Méthode de Borda

Chaque électeur ou électrice classe les candidats par ordre de préférences. S'il y a n candidats, n points sont attribués au 1er choix de chaque électeur ou électrice, $n - 1$ points au 2e choix, et ainsi de suite. Le candidat ou la candidate qui obtient le plus grand nombre de points est vainqueur.

Principe de Condorcet

Chaque électeur ou électrice classe les candidats par ordre de préférences. En analysant les résultats obtenus, le candidat ou la candidate qui défait tous les autres candidats dans une confrontation un à un est vainqueur.

Ex. : **Résultats d'une élection**

Candidate	A	B	C
Nombre de votes obtenus	23	28	12

Selon la règle de la majorité, aucune candidate ne l'emporte.

Selon la règle de la pluralité, la candidate B l'emporte.

Ex. : **Résultats d'une élection**

Nombre d'électeurs qui ont ordonné les candidats de cette façon	45	32	28	23
1er choix	B	C	C	A
2e choix	C	B	A	B
3e choix	A	A	B	C

Selon la méthode de Borda, le nombre de points obtenus par le candidat :
- A est : 45(1) + 32(1) + 28(2) + 23(3) = 202 points ;
- B est : 45(3) + 32(2) + 28(1) + 23(2) = 273 points ;
- C est : 45(2) + 32(3) + 28(3) + 23(1) = 293 points.

Le candidat C l'emporte.

Selon le principe de Condorcet :
- 23 électeurs préfèrent le candidat A au candidat C et 45 + 32 + 28 = 105 électeurs préfèrent le candidat C au candidat A ;
- 28 + 23 = 51 électeurs préfèrent le candidat A au candidat B et 45 + 32 = 77 électeurs préfèrent le candidat B au candidat A ;
- 45 + 23 = 68 électeurs préfèrent le candidat B au candidat C et 32 + 28 = 60 électeurs préfèrent le candidat C au candidat B.

Comme le candidat B est préféré aux candidats A et C, le candidat B l'emporte.

Vote par élimination

Chaque électeur ou électrice classe les candidats par ordre de préférences. On compte les votes de 1er choix pour chaque candidat ou candidate. On élimine celui ou celle qui a reçu le moins de votes de 1er choix et on attribue ses votes aux candidats qui constituent le choix suivant. Si un candidat ou une candidate obtient la majorité, il ou elle remporte l'élection. Sinon, on recommence la procédure.

Ex.:

Résultats d'une élection

Nombre d'électeurs qui ont ordonné les candidats de cette façon	45	32	28	23
1er choix	B	✗	A	A
2e choix	✗	B	✗	B
3e choix	A	A	B	✗

- Le candidat A a 28 + 23 = 51 votes de 1er choix, le candidat B en a 45 et le candidat C en a 32. Le candidat C est donc éliminé.
- Les 32 votes de 1er choix du candidat C sont alors transférés au candidat B, car il constitue le choix suivant de ces 32 électeurs.
- Le candidat B a maintenant 45 + 32 = 77 votes de 1er choix. Il obtient la majorité et l'emporte.

Vote par assentiment

Chaque électeur ou électrice vote pour autant de candidats qu'il ou elle le désire. Le candidat ou la candidate qui obtient le plus grand nombre de votes est vainqueur.

Ex.: **Résultats d'une élection où A, B, C et D sont les candidats**

Nombre d'électeurs qui ont voté pour ce ou ces candidats	45	32	28	23
	A	B	A	A
	D	C	B	
		D	C	

Le nombre de votes obtenus par:

- le candidat A est: 45 + 28 + 23 = 96 votes;
- le candidat B est: 32 + 28 = 60 votes;
- le candidat C est: 32 + 28 = 60 votes;
- le candidat D est: 45 + 32 = 77 votes.

Le candidat A l'emporte.

Scrutin proportionnel

Le poids décisionnel est réparti entre les choix possibles proportionnellement au nombre de votes obtenus.

Ex.: Dans un territoire, il faut attribuer 10 sièges.

Résultats des élections

Parti	A	B	C	Total
Nombre de votes obtenus	15 235	23 429	2893	41 557

Le nombre de sièges attribués à chaque parti peut se calculer de la façon suivante.

Partie A: $\frac{15\,235}{41\,557} \times 10 \approx 3,67$ sièges, soit au moins 3 sièges.

Partie B: $\frac{23\,429}{41\,557} \times 10 \approx 5,64$ sièges, soit au moins 5 sièges.

Partie C: $\frac{2893}{41\,557} \times 10 \approx 0,7$ siège.

On a attribué 8 sièges. Les 2 autres sièges sont attribués en plaçant les restes par ordre décroissant.

C: 0,7 siège. On lui attribue 1 siège.

A: 0,67 siège. On lui attribue 1 siège.

B: 0,64 siège. On ne lui attribue aucun siège puisque les 2 sièges restants sont déjà attribués.

Le parti A obtient 4 sièges, le parti B, 5 sièges et le parti C, 1 siège.

1 Dans chaque cas, déterminez l'élément préféré selon :

a) la méthode de Borda ;

Résultats du classement de trois activités

Nombre de personnes qui ont ordonné les activités de cette façon	17	15	12	8
1er choix	Lecture	Marche	Marche	Cinéma
2e choix	Marche	Lecture	Cinéma	Lecture
3e choix	Cinéma	Cinéma	Lecture	Marche

b) le principe de Condorcet ;

Résultats du classement de trois sports

Nombre de personnes qui ont ordonné les sports de cette façon	20	14	11	9
1er choix	Soccer	Soccer	Hockey	Tennis
2e choix	Tennis	Hockey	Tennis	Soccer
3e choix	Hockey	Tennis	Soccer	Hockey

c) le vote par élimination.

Résultats du classement de trois desserts

Nombre de personnes qui ont ordonné les desserts de cette façon	17	15	12	10	8	7
1er choix	Fruits	Jello	Jello	Yogourt	Yogourt	Fruits
2e choix	Yogourt	Fruits	Fruits	Fruits	Jello	Yogourt
3e choix	Jello	Yogourt	Yogourt	Jello	Fruits	Jello

2 La direction d'une école doit choisir une sortie de fin d'année parmi quatre sorties possibles. Pour ce faire, elle organise un sondage auprès des élèves. Voici les résultats de ce sondage :

Résultats du classement de quatre sorties

Nombre d'élèves qui ont ordonné les sorties de cette façon	27	18	18	15	12	10
1er choix	Spectacle	Plein air	Cinéma	Musée	Musée	Plein air
2e choix	Cinéma	Cinéma	Plein air	Spectacle	Cinéma	Musée
3e choix	Musée	Spectacle	Spectacle	Plein air	Spectacle	Cinéma
4e choix	Plein air	Musée	Musée	Cinéma	Plein air	Spectacle

Quelle est la sortie choisie si elle est déterminée en utilisant :

a) le principe de Condorcet ?   b) la méthode de Borda ?

3 Le schéma suivant illustre les routes reliant quatre villages. Le gouvernement veut construire dans l'un d'entre eux une école qui desservira l'ensemble des villages.

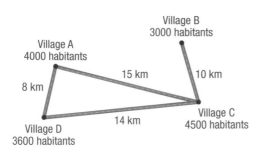

En partenariat avec d'autres organisations, le Fonds des Nations Unies pour l'enfance, mieux connu sous le nom d'UNICEF, fait de l'éducation au primaire et au secondaire à l'échelle mondiale l'un des Objectifs du Millénaire pour le développement.

a) Complétez le tableau ci-contre sachant que tous les habitants d'un même village préfèrent que l'école soit située le plus près possible de chez eux.

b) Quel est le village choisi d'après :
1) la règle de la pluralité ?
2) la méthode de Borda ?
3) le principe de Condorcet ?

Choix de l'emplacement de l'école

Nombre de personnes qui ont ordonné les villages de cette façon	4000			
1er choix	A			
2e choix	D			
3e choix	C			
4e choix	B			

c) Le gouvernement prévoit construire une route de 13 km entre les villages A et B ainsi qu'un hôpital qui desservira les quatre villages. Sachant que tous les habitants d'un même village préfèrent que l'hôpital soit situé le plus près possible de chez eux, déterminez quel sera le village choisi d'après :
1) la règle de la majorité ;   2) la règle de la pluralité ;   3) la méthode de Borda.

4 Un groupe d'amis doit prédire, parmi quatre équipes de hockey, celle qui sera la meilleure. Pour ce faire, chaque personne classe les équipes selon ses préférences. Voici les résultats obtenus :

Quelle sera l'équipe choisie d'après :

Résultats du classement des quatre équipes

Nombre d'amis qui ont ordonné les équipes de cette façon	9	7	7	6	6
1er choix	Bruins	Penguins	Bruins	Hurricanes	Canadiens
2e choix	Hurricanes	Canadiens	Canadiens	Canadiens	Penguins
3e choix	Penguins	Hurricanes	Hurricanes	Penguins	Hurricanes
4e choix	Canadiens	Bruins	Penguins	Bruins	Bruins

a) la règle de la majorité ?   b) la règle de la pluralité ?   c) la méthode de Borda ?

5 Des élections ont lieu dans un pays dont le Parlement compte 10 sièges. Ce pays est divisé en 10 circonscriptions qui comptent le même nombre d'électeurs. Voici les résultats de ces élections :

Résultats des élections

Parti \ Circonscription	1	2	3	4	5	6	7	8	9	10
A	10 %	35 %	23 %	24 %	14 %	7 %	35 %	40 %	33 %	33 %
B	43 %	33 %	31 %	51 %	11 %	48 %	12 %	28 %	31 %	33 %
C	47 %	32 %	46 %	25 %	75 %	45 %	53 %	32 %	36 %	34 %

a) 1) Déterminez la composition du Parlement de ce pays si l'on attribue un siège par circonscription selon la règle de la pluralité.

2) Le parti au pouvoir est-il majoritaire ? Expliquez votre réponse.

b) 1) Déterminez la composition du Parlement de ce pays si l'on attribue les sièges selon un scrutin proportionnel.

2) Le parti au pouvoir est-il majoritaire ? Expliquez votre réponse.

6 Afin de compléter leur conseil d'administration, les 400 membres d'une organisation doivent élire deux personnes parmi quatre candidats. Voici les résultats du vote :

Résultats du vote

Nombre de membres qui ont ordonné les candidats de cette façon	120	108	98	50	24
1er choix	Angelo R.	Jeanne C.	Julie P.	Marcel G.	Julie P.
2e choix	Julie P.	Marcel G.	Marcel G.	Angelo R.	Jeanne C.
3e choix	Jeanne C.	Julie P.	Angelo R.	Jeanne C.	Angelo R.
4e choix	Marcel G.	Angelo R.	Jeanne C.	Julie P.	Marcel G.

Le vote par élimination est utilisé pour déterminer les deux nouveaux membres du conseil d'administration. Qui sont-ils ?

L'Union européenne (UE) réunit une trentaine de pays d'Europe dans un partenariat économique et politique. Le Conseil de l'Union européenne est composé des ministres des gouvernements nationaux de tous les pays. Chaque pays dispose au sein du conseil d'un certain nombre de voix, qui reflète la taille de sa population.

7 **ÉLECTIONS PROVINCIALES** Lors des élections provinciales au Québec, la population de chacune des 125 circonscriptions élit un député selon la règle de la pluralité. Le tableau ci-dessous indique les résultats des élections de 2007 et de 2008.

Élections provinciales au Québec

Parti	Élections de 2007		Élections de 2008	
	Nombre de sièges	Nombre de voix	Nombre de sièges	Nombre de voix
Parti libéral	48	1 313 664	66	1 366 046
Parti québécois	36	1 125 546	51	1 141 751
Action démocratique du Québec	41	1 224 412	7	531 358
Québec solidaire	0	144 418	1	122 618
Parti vert du Québec	0	152 885	0	70 393
Autres partis	0	9 693	0	14 167

Le Parlement québécois, communément appelé l'Assemblée nationale, compte 125 députés élus dans les 125 circonscriptions électorales. C'est à l'Assemblée nationale que se votent les lois du Québec.

a) Quel parti formait le gouvernement en :
  1) 2007 ?
  2) 2008 ?

b) Ce parti était-il majoritaire en :
  1) 2007 ? Expliquez votre réponse.
  2) 2008 ? Expliquez votre réponse.

c) Décrivez la composition du Parlement québécois si les députés avaient été élus au scrutin proportionnel en :
  1) 2007 ;
  2) 2008.

8 On procède à un scrutin proportionnel pour élire les 10 conseillers d'une municipalité. Pour ce faire, chaque électeur ou électrice choisit 10 candidats parmi 30. Le tableau ci-dessous présente un résumé des résultats obtenus.

a) Combien de sièges sont attribués au parti :
  1) A ?
  2) B ?
  3) C ?

Les sièges remportés par un parti sont attribués aux candidats de ce parti qui ont obtenu le plus de votes.

b) À quels candidats sont attribués les sièges remportés par le parti :
  1) A ?
  2) B ?
  3) C ?

Résultats du scrutin

Parti A		Parti B		Parti C	
Candidat ou candidate	Nombre de votes obtenus	Candidat ou candidate	Nombre de votes obtenus	Candidat ou candidate	Nombre de votes obtenus
1	4032	1	6356	1	345
2	1250	2	953	2	7684
3	120	3	1436	3	546
4	5504	4	543	4	2543
5	240	5	326	5	746
6	1302	6	865	6	1376
7	2074	7	2437	7	3276
8	5244	8	432	8	4527
9	1030	9	3249	9	1438
10	270	10	1321	10	645

9 **DUNCAN BLACK** L'économiste écossais Duncan Black appliquait la méthode de Borda lorsque le principe de Condorcet ne produisait pas de vainqueur. Dans chacun des cas suivants, déterminez la vainqueure à l'aide de ce raisonnement.

a) **Élection d'une représentante pour un groupe de nageuses**

Nombre d'électeurs qui ont ordonné les candidates de cette façon	28	20	16	12
1er choix	C	B	D	D
2e choix	B	C	A	B
3e choix	A	D	C	C
4e choix	D	A	B	A

b) **Élection d'une représentante pour un organisme**

Nombre d'électeurs qui ont ordonné les candidates de cette façon	23	17	10	8	2
1er choix	A	B	C	C	B
2e choix	B	C	A	B	A
3e choix	C	A	B	A	C

10 **PARADOXE DE L'ALABAMA** Dans certains pays, le nombre de sièges attribués au Parlement pour chaque circonscription est proportionnel à la population de cette circonscription.

Voici des renseignements concernant quatre circonscriptions d'un pays dont le Parlement compte 162 sièges.

Attribution des sièges

Circonscription	Population	Nombre minimal de sièges attribués	Reste
A	60 000	$162 \times \frac{60\ 000}{100\ 000} = 97,2$, soit 97 sièges	0,2
B	30 000	▬	▬
C	9 000	▬	▬
D	1 000	▬	▬
Total	100 000		

a) Complétez le tableau ci-dessus.

b) Indiquez le nombre de sièges attribués à chacune des quatre circonscriptions.

c) Si le nombre de sièges au Parlement était augmenté à 163, vérifiez que le nombre de sièges attribués à la circonscription D diminuerait.

En procédant à des simulations de représentations proportionnelles aux États-Unis, on se rendit compte que l'État de l'Alabama se verrait attribuer 8 sièges dans un Parlement de 299 sièges et 7 sièges dans un Parlement de 300 sièges. Cette situation a donné naissance au *paradoxe de l'Alabama*, qui montre que dans certains cas, en augmentant le nombre de sièges au Parlement, une circonscription peut se voir attribuer moins de sièges qu'auparavant.

SECTION 4.4 — La prise de décisions concernant les contextes de choix social

Cette section est en lien avec les SAÉ 11 et 12.

 PROBLÈME — Une question de procédure

Dans un pays, on procède à l'élection des 12 députés qui représenteront les 12 circonscriptions électorales au Parlement. Le siège associé à chaque circonscription est attribué selon la règle de la pluralité, et le parti qui obtient le plus de sièges dirige le gouvernement.

Voici les résultats de ces élections :

Pourcentage des votes obtenus par le candidat ou la candidate de chaque parti dans chaque circonscription

Circonscription / Parti	1	2	3	4	5	6	7	8	9	10	11	12
Écologix	26 %	33 %	11 %	36 %	14 %	13 %	36 %	41 %	20 %	30 %	19 %	17 %
Solidarité	29 %	33 %	44 %	37 %	40 %	75 %	29 %	28 %	36 %	49 %	35 %	52 %
Alliance	45 %	34 %	45 %	27 %	46 %	12 %	35 %	31 %	44 %	21 %	46 %	31 %

Voici la répartition des électeurs dans ce pays :

Pourcentage des électeurs qui habitent dans chaque circonscription

Circonscription	1	2	3	4	5	6	7	8	9	10	11	12
Pourcentage d'électeurs	8,4	9,1	8,2	7,9	8,6	8,5	7,8	8	8,8	9,2	7,7	7,8

Le parti qui a terminé en 2ᵉ position réclame l'utilisation d'une autre procédure de vote, soit un scrutin proportionnel, prétextant que si une telle procédure avait été utilisée lors de cette élection, il aurait gagné.

Le type de scrutin utilisé peut avoir une incidence importante sur le gouvernement formé. Le choix d'une procédure de vote peut même faire l'objet d'un référendum.

 Que pensez-vous de cette affirmation ?

Une électrice de la péninsule de Gydan, au nord de la Sibérie, aux cours d'une élection présidentielle russe.

ACTIVITÉ 1 Satisfaire le plus grand nombre

Pour déterminer le menu du lundi à la cafétéria d'une école secondaire, on demande aux 250 élèves de cette école de classer trois menus par ordre de préférences. Voici les résultats obtenus :

RÉSULTATS DU SONDAGE						
NOMBRE D'ÉLÈVES QUI ONT ORDONNÉ LES MENUS DE CETTE FAÇON	63	51	46	45	24	21
1er choix	A	C	B	B	C	A
2e choix	C	A	A	C	B	B
3e choix	B	B	C	A	A	C

a. Quel est le menu choisi d'après :

1) la règle de la pluralité ?

2) la méthode de Borda ?

3) le vote par élimination ?

4) le principe de Condorcet ?

Lorsque le menu sélectionné constitue :

- son 1er choix, l'élève est très satisfait ou très satisfaite ;
- son 2e choix, l'élève est satisfait ou satisfaite ;
- son 3e choix, l'élève est insatisfait ou insatisfaite.

b. Pour chacune des méthodes mentionnées en **a**, combien y a-t-il d'élèves :

1) très satisfaits ?   2) satisfaits ?   3) insatisfaits ?

c. Selon vous, laquelle de ces méthodes engendre un résultat qui reflète :

1) le mieux les préférences de ces élèves ? Expliquez votre réponse.

2) le moins bien les préférences de ces élèves ? Expliquez votre réponse.

Lorsqu'elle est préparée de façon artisanale avec des ingrédients santé, la pizza est un aliment complet qui comporte les quatre groupes alimentaires du *Guide alimentaire canadien*.

ACTIVITÉ 2 · Les élections municipales

Voici, pour 2 municipalités, la description de la procédure de vote utilisée pour la formation du conseil municipal qui comporte 10 sièges.

Municipalité de Saint-Anathème

Le siège de chaque circonscription est attribué selon la règle de la pluralité. Voici les résultats obtenus :

Pourcentage des votes obtenus par le candidat ou la candidate de chaque parti dans chaque circonscription

Parti \ Circonscription	1	2	3	4	5	6	7	8	9	10
A	7 %	35 %	10 %	25 %	13 %	35 %	33 %	40 %	33 %	21 %
B	47 %	12 %	44 %	51 %	13 %	34 %	33 %	28 %	31 %	32 %
C	46 %	53 %	46 %	24 %	74 %	31 %	34 %	32 %	36 %	47 %

a. Décrivez la composition du conseil municipal de Saint-Anathème.

Municipalité de Tourville

Les 10 conseillers sont élus au scrutin proportionnel. Les sièges remportés par un parti sont attribués aux candidats de ce parti qui ont obtenu le plus de votes.

b. Décrivez la composition du conseil municipal de Tourville.

c. Si les électeurs n'ayant pas voté pour les candidats élus s'étaient abstenus de leur droit de vote, quel effet cela aurait-il eu sur la répartition des sièges au conseil municipal de :

   1) Saint-Anathème ?

   2) Tourville ?

d. Des procédures de vote utilisées dans chaque municipalité, laquelle semble la plus représentative de l'ensemble des votes exprimés ? Expliquez votre réponse.

Nombre de votes obtenus par les candidats de chaque parti

Parti A		Parti B		Parti C	
Candidat ou candidate	Nombre de votes	Candidat ou candidate	Nombre de votes	Candidat ou candidate	Nombre de votes
1	3 452	1	41 324	1	63 563
2	75 846	2	12 556	2	9 533
3	5 465	3	1 249	3	14 365
4	25 433	4	55 439	4	5 437
5	7 443	5	2 452	5	3 266
6	13 798	6	13 547	6	8 653
7	32 847	7	20 752	7	24 376
8	45 765	8	52 444	8	4 328
9	15 379	9	10 547	9	32 497
10	6 450	10	2 850	10	13 219
Total	231 878	Total	213 160	Total	179 237

L'économiste américain Kenneth Arrow a déterminé cinq critères qu'un système de vote démocratique devrait respecter. Il a ensuite démontré qu'à partir du moment où il y a au moins trois choix et deux électeurs, aucun système de vote ne peut respecter simultanément ces cinq critères. Ce phénomène est connu sous le nom de *théorème d'impossibilité de Arrow*.

savoirs 4.4

Le rôle d'une procédure de vote est de mettre en commun les préférences de chaque électeur et électrice, et de les traduire en décisions pour la collectivité. Chaque procédure comporte des avantages et des inconvénients.

RÈGLE DE LA MAJORITÉ ET RÈGLE DE LA PLURALITÉ

Ces procédures:

- sont simples et rapides à mettre en œuvre;
- peuvent engendrer l'élection d'un candidat ou d'une candidate qui déplaît à une grande partie de l'électorat.

MÉTHODE DE BORDA, PRINCIPE DE CONDORCET, VOTE PAR ÉLIMINATION ET VOTE PAR ASSENTIMENT

Ces procédures:

- permettent de nuancer l'interprétation des résultats d'un vote;
- permettent de choisir un candidat ou une candidate qui engendre généralement un haut degré de satisfaction de l'électorat;
- sont complexes à mettre en œuvre.

SCRUTIN MAJORITAIRE

Le scrutin majoritaire:

- est simple et peu coûteux à mettre en œuvre;
- engendre généralement un fort degré de responsabilisation des gouvernements;
- peut engendrer beaucoup de votes inutiles;
- peut donner un résultat qui laisse beaucoup d'électeurs insatisfaits;
- peut donner lieu à des situations dans lesquelles un parti peut remporter la majorité des sièges sans remporter la majorité des voix, et vice versa.

SCRUTIN PROPORTIONNEL

Le scrutin proportionnel:

- fait que chaque vote compte;
- engendre une répartition du pouvoir qui reflète assez fidèlement la volonté de l'électorat;
- donne souvent lieu à des situations dans lesquelles aucun parti n'a la majorité pour gouverner. La nécessité de coalitions entre les partis peut alors ralentir la prise de décisions.

Ex.: 1) Dans un territoire comptant 10 circonscriptions de même population, il faut attribuer 10 sièges, soit un par circonscription. Voici les résultats obtenus:

Pourcentage des votes obtenus par chaque parti dans chacune des circonscriptions

Circonscription / Parti	1	2	3	4	5	6	7	8	9	10	Total
A	33%	34%	35%	40%	55%	33%	32%	38%	39%	41%	**38%**
B	32%	25%	26%	45%	40%	33%	33%	23%	32%	47%	**33,6%**
C	35%	41%	39%	15%	5%	34%	35%	39%	29%	12%	**28,4%**

Si, dans chaque circonscription, le siège est attribué selon la règle de la pluralité, le parti A remporte 2 sièges, le parti B, 2 sièges, et le parti C, 6 sièges. Le parti C dirige le gouvernement et est majoritaire tout en ayant recueilli le moins de votes.

Selon un scrutin proportionnel, le parti A remporte 38% des sièges, soit 4 sièges, le parti B, 33,6% des sièges, soit 3 sièges, et le parti C, 28,4% des sièges, soit 3 sièges. Le parti A dirige le gouvernement et est minoritaire, ce qui reflète fidèlement la volonté de l'électorat.

2) Voici les résultats d'une élection:

Résultats d'une élection

Candidat	A	B	C
Nombre d'électeurs	28	23	12

Selon la règle de la pluralité, le candidat A est élu bien qu'une majorité d'électeurs n'aient pas voté pour lui, ce qui engendre:
- 28 électeurs satisfaits;
- 23 + 12 = 35 électeurs insatisfaits.

On demande à ces électeurs de classer les candidats par ordre de préférences. Voici les résultats obtenus:

Résultats d'une élection

Nombre d'électeurs qui ont classé les candidats dans cet ordre	28	23	7	5
1er choix	A	B	C	C
2e choix	B	C	B	A
3e choix	C	A	A	B

Selon la méthode de Borda, le candidat B est élu, ce qui engendre:
- 23 électeurs très satisfaits;
- 28 + 7 = 35 électeurs assez satisfaits;
- 5 électeurs insatisfaits.

1 Dans chaque cas, indiquez une procédure de vote qui correspond à la description de la situation.

a) Afin de déterminer les membres du prochain Parlement, les électeurs de chaque circonscription votent pour plusieurs candidats. On désire que chaque vote ait une incidence sur la répartition des sièges.

b) Afin de déterminer les membres du prochain Parlement, les électeurs choisissent 5 candidats parmi 20. De plus, le nombre de sièges attribués à chaque parti représente assez fidèlement le nombre de votes obtenus par chaque parti.

c) Les électeurs doivent choisir une nouvelle présidente. On veut utiliser une procédure de vote qui permet de nuancer l'interprétation du vote et de déterminer une gagnante qui satisfait le plus grand nombre possible d'électeurs.

d) Les élèves d'une classe doivent choisir un nouveau représentant. La procédure de vote utilisée peut permettre l'élection d'un candidat pour qui la majorité des élèves n'a pas voté.

Au 19ᵉ siècle, dans certains pays d'Europe, le vote se faisait publiquement et à main levée. La pensée qui prévalait était que chaque électeur devait assumer son choix devant les autres. De nos jours, le vote secret est généralement préconisé lors des élections.

2 Voici une déclaration de la dirigeante d'un pays:

NOUS ALLONS RÉFORMER NOTRE SYSTÈME ÉLECTORAL. PRÉSENTEMENT, LES ÉLECTEURS DE CHAQUE CIRCONSCRIPTION VOTENT POUR UN CANDIDAT, ET LE CANDIDAT QUI REMPORTE LE PLUS DE VOTES OBTIENT LE SIÈGE DE LA CIRCONSCRIPTION. À LA SUITE DE CETTE RÉFORME, LE NOMBRE DE SIÈGES ATTRIBUÉS À CHAQUE PARTI SERA PROPORTIONNEL AU NOMBRE DE VOTES OBTENUS PAR CHAQUE PARTI.

a) Quelle procédure de vote:

1) est utilisée présentement?   2) sera utilisée après la réforme?

b) Comparez la procédure actuelle avec la procédure proposée.

3 Voici une façon de calculer le degré de satisfaction d'un électorat à la suite d'un vote.

Lorsque le candidat élu constitue:

- le 1er choix d'un électeur, celui-ci est très satisfait. Chaque électeur très satisfait vaut 3 points;

- le 2e choix d'un électeur, celui-ci est satisfait. Chaque électeur satisfait vaut 2 points;

- le 3e choix d'un électeur, celui-ci est insatisfait. Chaque électeur insatisfait vaut 1 point.

On détermine le nombre total de points de l'électorat et on divise ce nombre par le nombre d'électeurs. Le résultat obtenu correspond au degré de satisfaction de l'électorat.

Le tableau ci-dessous présente les résultats d'une élection.

Résultats d'une élection

Nombre d'électeurs qui ont ordonné les candidats de cette façon	50	30	27	24	10
1er choix	C	B	A	A	B
2e choix	B	C	B	C	A
3e choix	A	A	C	B	C

a) Qui l'emporte selon:
   1) la règle de la pluralité?   2) la méthode de Borda?   3) le vote par élimination?

b) Pour chacune des procédures de vote mentionnées en a), déterminez le nombre d'électeurs:
   1) très satisfaits;
   2) satisfaits;
   3) insatisfaits.

c) Des procédures de vote mentionnées en a), laquelle engendre pour cette situation:
   1) le plus haut degré de satisfaction de l'électorat?
   2) le plus faible degré de satisfaction de l'électorat?

Dans certains pays, les élections se déroulent en présence d'observateurs internationaux en raison des risques liés à l'intégrité du vote.

4 Le Parlement d'un pays comporte un siège par circonscription. À la suite d'une élection, le parti vainqueur a obtenu la quasi-totalité des sièges du Parlement. C'est pourtant le parti qui a obtenu le moins de votes.

a) Quelle procédure de vote a été utilisée ?

b) Expliquez comment cette situation peut se produire.

5 **CLYDE COOMBS** Vers 1954, le mathématicien Clyde Coombs a développé une variante du vote par élimination qui consiste à éliminer le candidat ou la candidate qui a obtenu le plus de votes de dernier choix et à attribuer ses votes aux candidats suivants. On recommence cette procédure jusqu'à ce qu'un candidat ou une candidate obtienne plus de la moitié des votes. Voici les résultats d'une élection :

Résultats d'une élection

Nombre d'électeurs qui ont ordonné les candidats de cette façon	84	52	34	30
1er choix	A	B	D	C
2e choix	B	C	C	D
3e choix	C	D	B	B
4e choix	D	A	A	A

L'Américain Clyde Coombs (1912-1988) a fondé le programme de mathématiques de psychologie à l'Université du Michigan.

a) Déterminez la ou le vainqueur en utilisant la méthode de Coombs.

b) Vérifiez que la ou le vainqueur n'est pas la ou le même en utilisant le vote par élimination.

6 Le tableau ci-dessous indique les votes obtenus selon les préférences exprimées lors d'une élection.

Résultats d'une élection

Nombre d'électeurs qui ont ordonné les candidats de cette façon	100	60	57	48	20
1er choix	A	B	C	C	B
2e choix	B	A	B	A	C
3e choix	C	C	A	B	A

a) Qui est la gagnante ou le gagnant de cette élection si elle ou il est déterminé à l'aide :

1) de la règle de la pluralité ?

2) de la méthode de Borda ?

3) du principe de Condorcet ?

b) Expliquez pourquoi il est important de déterminer la procédure de vote avant une élection.

7 Le tableau suivant montre les résultats d'un sondage qui précède une élection où le parti vainqueur est déterminé à l'aide du vote par élimination.

Résultats d'un sondage

Groupe		1	2	3	4
Préférences du groupe	1er choix	Parti A	Parti C	Parti B	Parti B
	2e choix	Parti B	Parti A	Parti C	Parti A
	3e choix	Parti C	Parti B	Parti A	Parti C
Pourcentage d'électeurs dans ce groupe		35	31	24	10

À la suite de ce sondage, le parti A intensifie sa campagne électorale et parvient à convaincre la moitié des électeurs du groupe 4. Ceux-ci ont maintenant les mêmes préférences que le groupe 1.

Montrez que le parti A aurait eu avantage à ne pas intensifier sa campagne électorale.

8 **CRITÈRE D'INDÉPENDANCE AUX OPTIONS LES MOINS PERTINENTES** Le critère d'indépendance aux options les moins pertinentes stipule que, si une élection donne vainqueur un candidat et que l'on retire un autre candidat, le vainqueur doit demeurer le même. Voici les résultats d'une élection :

Résultats d'une élection

Nombre d'électeurs qui ont ordonné les candidats de cette façon	52	41	35	33	29	21
1er choix	B	A	A	D	B	C
2e choix	A	B	D	B	A	A
3e choix	D	C	C	C	C	D
4e choix	C	D	B	A	D	B

a) Qui est le vainqueur de cette élection selon :
   1) la méthode de Borda ?
   2) le principe de Condorcet ?
   3) le vote par élimination ?

b) Le candidat D retire sa candidature. Qui est alors le vainqueur de cette élection selon :
   1) la méthode de Borda ?
   2) le principe de Condorcet ?
   3) le vote par élimination ?

c) Dans cet exemple, laquelle ou lesquelles de ces procédures de vote ne respectent pas le critère d'indépendance aux options les moins pertinentes ?

9 Quatre candidats se présentent lors de l'élection présidentielle d'un pays. Voici les résultats de cette élection, où l'on détermine la ou le vainqueur à l'aide du vote par élimination.

Élection présidentielle d'un pays

Pourcentage d'électeurs qui ont ordonné les candidats de cette façon	30	22	21	10	9	8
1er choix	A	B	A	D	C	B
2e choix	B	C	B	B	B	D
3e choix	D	D	C	C	D	C
4e choix	C	A	D	A	A	A

Surnommée la Dame de fer, Margareth Thatcher a été première ministre du Royaume-Uni de 1979 à 1990.

a) Expliquez en quoi cette situation peut occasionner des tensions politiques dans l'électorat.

b) Expliquez pourquoi l'élection du candidat B aurait été une issue plus satisfaisante pour l'électorat.

c) Quelle méthode permet d'élire le candidat B ?

> Chaque gouvernement est doté d'un système politique qui lui est propre. Alors que les États-Unis sont dirigés par un président et le Canada, par un premier ministre, certains pays, comme la France et la Russie, comptent à la fois un président et un premier ministre.

10 Voici les résultats d'une élection municipale qui a eu lieu dans les deux circonscriptions d'une ville.

Résultats d'une élection municipale

	Circonscription 1			Circonscription 2		
Nombre d'électeurs qui ont ordonné les candidats de cette façon	4800	4200	3800	2200	1200	1100
1er choix	C	A	D	D	A	B
2e choix	D	C	B	C	C	C
3e choix	A	B	A	A	B	A
4e choix	B	D	C	B	D	D

Dans chaque circonscription, on détermine la ou le vainqueur à l'aide du vote par élimination.

a) Qui est la ou le vainqueur dans :

1) la circonscription **1** ?   2) la circonscription **2** ?

b) Si le territoire n'avait pas été divisé en circonscriptions, cela aurait-il eu une incidence sur l'issue du vote ? Expliquez votre réponse.

c) Le phénomène se produit-il lorsque la ou le vainqueur est déterminé à l'aide de la méthode de Borda ?

passé Nicolas de Condorcet

Sa vie

Nicolas de Condorcet
(1743-1794)

Le marquis Nicolas de Condorcet est né en 1743 dans le village français de Ribemont. Il étudie au Collège des jésuites de Reims, puis au Collège de Navarre à Paris où, à l'âge de 16 ans, le mathématicien Jean Le Rond d'Alembert remarque ses habiletés particulières en mathématiques. Nicolas de Condorcet a publié durant les années 1765 à 1774 quelques travaux sur les mathématiques concernant le calcul des probabilités et l'arithmétique politique.

Jean Baptiste Lallemand, *Prise de la Bastille, le 14 juillet 1789*, XVIIIe siècle, Paris, Musée Carnavalet

Outre ses travaux en mathématiques et en sciences, Nicolas de Condorcet a entrepris une carrière politique. Ainsi, il a défendu pendant plusieurs années les droits des individus, et en particulier ceux des femmes, des Juifs et des Noirs. Nicolas de Condorcet a joué un rôle important lors de la Révolution française de 1789. Étant contre certaines idées du Parlement français créé après la Révolution, il fut contraint de s'enfuir et de se cacher. Arrêté le 27 mars 1794, il mourut en prison deux jours plus tard.

Ses travaux

Nicolas de Condorcet publie durant les années 1781 à 1784 un ouvrage en cinq tomes sur le calcul des probabilités. Dans cet ouvrage, on trouve notamment une section intitulée *Déterminer la probabilité qu'un arrangement régulier soit l'effet d'une intention de le produire.* Dans cette section, il calcule la probabilité qu'un résultat ait été obtenu intentionnellement ou aléatoirement à l'aide des règles suivantes.

- Un arrangement régulier est un arrangement qui a une signification.

- S'il y a *n* arrangements possibles, qu'un seul de ces arrangements est régulier et que cet arrangement se produit, la probabilité qu'il y ait eu intention de le produire est $\frac{n}{n+1}$.

- S'il y a *n* arrangements possibles, que *m* de ces arrangements sont réguliers et que l'un de ces arrangements se produit, la probabilité qu'il y ait eu intention de le produire est $\frac{n}{m+n}$.

Par exemple, sur un support où sont disposées les lettres L, T, O, R, U, P et F, on retrouve alignées et dans cet ordre les lettres F, O, R, T. Cet arrangement est régulier, car il a une signification selon les règles de la langue française.

Figure ①

L'arithmétique politique

L'arithmétique politique est l'ensemble des mathématiques dont les résultats ont pour but d'éclairer les dirigeants à gouverner, par exemple, en utilisant les statistiques afin de déterminer le taux de taxation acceptable pour une population.

Nicolas de Condorcet a contribué à l'essor de cette discipline, entre autres par l'analyse des procédures de vote et par la création de sa propre méthode de vote : le principe de Condorcet. Toutefois, il admet dans ses travaux que sa méthode n'est pas parfaite puisqu'elle donne lieu à des situations dans lesquelles il n'y a pas de vainqueur. C'est le paradoxe de Condorcet.

Jean-Charles Borda (1733-1799)

Jean-Charles Borda et Nicolas de Condorcet ont vécu à la même époque et ont débattu ensemble des mérites et des inconvénients de certaines procédures de vote ainsi que de leurs solutions de rechange. Ils étaient tous les deux membres de l'Académie royale des sciences.

1. Quelle est la probabilité que l'arrangement illustré à la figure ① ait été créé intentionnellement si :

a) FORT est le seul mot formé à partir de ces lettres qui ait une signification ?

b) tous les mots de cinq lettres et plus formés à partir de ces lettres ont une signification ?

c) tous les mots de deux lettres et plus formés à partir de ces lettres ont une signification ?

2. Le tableau ci-dessous indique les préférences exprimées lors de l'élection du maire d'un village.

Résultats de l'élection

Nombre d'électeurs ayant ordonné les candidats de cette façon	2300	1700	1000	800	200
1er choix	Gingras J.	Rouleau M.	Francoeur F.	Francoeur F.	Rouleau M.
2e choix	Rouleau M.	Francoeur F.	Gingras J.	Rouleau M.	Gingras J.
3e choix	Francoeur F.	Gingras J.	Rouleau M.	Gingras J.	Francoeur F.

a) Montrez que cette situation donne lieu au paradoxe de Condorcet.

b) Déterminez la ou le vainqueur à l'aide de la méthode de Borda.

Leur rôle

Dans une démocratie, les politiciens sont des personnes élues par la population. Ils représentent cette population afin que les lois municipales, provinciales et fédérales, et leur application dans la vie quotidienne, reflètent la volonté populaire. Les politiciens s'assurent également de la saine gestion des ressources de la société qui les a élus. Ainsi, au Canada, les politiciens peuvent devenir, entre autres, conseillers municipaux, maires, députés provinciaux ou députés fédéraux. Le rôle du politicien ou de la politicienne diffère selon la position qu'il ou elle occupe.

Le tout premier homme politique à agir à titre de premier ministre du Canada, à la suite de la signature de l'Acte de l'Amérique du Nord britannique (AANB) de 1867, fut John A. Macdonald. Il gouverna le pays de 1867 à 1873, puis de 1878 à 1891.

Le député ou la députée

Les députés débattent des lois, en proposent de nouvelles ou suggèrent des amendements à celles déjà existantes. Ces propositions sont ensuite soumises à un vote de l'ensemble des députés.

La députée de la circonscription de Marie-Victoria procède à un sondage au cours duquel elle demande à ses électeurs de classer les propositions ci-dessous selon leurs préférences.

La vitesse maximale permise dans les zones scolaires sera réduite à :

Ⓐ 25 km/h　　　　　Ⓑ 20 km/h　　　　　Ⓒ 5 km/h

Résultats du sondage sur la vitesse en zone scolaire

Nombre d'électeurs ayant ordonné les propositions de cette façon	3155	2367	1549	1435
1er choix	A	B	B	C
2e choix	B	A	C	B
3e choix	C	C	A	A

Le sénateur ou la sénatrice

Au Canada, les sénateurs sont des personnes non élues nommées par le gouverneur général sur la recommandation du premier ministre. Le rôle des sénateurs est de réviser les projets de lois proposés par les députés fédéraux. Pour être adopté, un projet de loi doit être approuvé par les députés et les sénateurs.

L'ensemble des sénateurs forme le Sénat. Ce mot dérive d'un mot grec qui signifie « conseil des doyens ».

Marie-Claire Kirkland-Casgrain est devenue la première femme élue au Parlement du Québec en décembre 1961. Réélue l'automne suivant, elle a été la première femme à accéder au conseil des ministres.

Le tableau ci-dessous montre les résultats du vote des députés concernant un projet de loi.

Projet de loi : Il est proposé que la vitesse maximale dans les zones scolaires soit réduite à 20 km/h.

		Députés du parti A	Députés du parti B	Députés du parti C	Députés indépendants	Total
Nombre de députés ayant voté :	en faveur	52	52	35	30	169
	contre	44	27	32	31	134
Total		96	79	67	61	303
Résultat : Le projet de loi est adopté.						

Le ou la ministre

Le terme « ministre » vient du latin *minister* qui signifie « serviteur ».

Le ou la ministre est généralement un député ou une députée membre du parti au pouvoir et à qui le premier ministre a confié un ministère, par exemple celui de la Santé ou de l'Éducation. Il ou elle est responsable de la bonne gestion des services et de l'application des lois votées par les députés et qui concernent son ministère.

Qualités requises

Il n'y a pas de formation spécifique pour devenir politicien ou politicienne. Toutefois, beaucoup d'entre eux ont une formation en droit, en sociologie ou en éducation. Une carrière politique peut débuter de diverses façons, en se faisant élire comme conseiller municipal par exemple, puis en étant recruté par un parti politique afin de se présenter comme député ou députée dans une région. Certaines personnalités connues de divers milieux peuvent également être recrutées par ces partis pour faire le saut en politique.

Plusieurs habiletés personnelles peuvent favoriser une carrière politique fructueuse, comme une habileté à se créer un vaste réseau de contacts, à communiquer des idées, à être à l'écoute et à gérer simultanément beaucoup d'informations.

Fait inusité au Québec, trois membres d'une même famille ont dirigé la province au sein de trois formations politiques différentes : tout d'abord, Daniel Johnson père, élu sous la bannière de l'Union nationale en 1966. Ensuite, ses deux fils, Pierre-Marc Johnson, pour le Parti québécois en 1985, et Daniel Johnson fils, pour le Parti libéral, en 1994.

1. La députée de la circonscription de Marie-Victoria doit présenter à l'ensemble des députés la proposition préférée par ses électeurs. Quelle sera la proposition présentée si elle est déterminée à l'aide :

a) de la méthode de Borda ?

b) du principe de Condorcet ?

c) du vote par élimination ?

d) de la règle de la pluralité ?

2. Quelle est la procédure de vote utilisée pour voter l'adoption de ce projet de loi ? Expliquez votre réponse.

3. Si l'on choisit au hasard un député ou une députée, quelle est la probabilité qu'il ou elle :

a) ait voté en faveur du projet de loi sachant qu'il ou elle est membre du parti **A** ?

b) soit membre du parti **C** sachant qu'il ou elle a voté contre le projet de loi ?

1 On lance un dé à 6 faces numérotées de 1 à 6 et une pièce de monnaie. Voici plusieurs événements possibles :

> A : obtenir 6
> B : obtenir un nombre pair
> C : obtenir un nombre premier
> D : obtenir face
> E : obtenir pile

a) Les événements A et D sont-ils dépendants ou indépendants ?

b) Pourquoi les événements A et B sont-ils non mutuellement exclusifs ?

c) Représentez les événements A, B et D dans un diagramme de Venn.

d) Calculez :

1) $P(A \cap D)$ 2) $P(A \cup D)$ 3) $P(B \cap E)$ 4) $P(C \cup D)$

5) $P(D|A)$ 6) $P(B|C)$ 7) $P((A \cap D)|B)$ 8) $P((B \cap E)|(A \cup C))$

2 Voici des renseignements quant à la probabilité de quelques événements :

$P(A) = 0,4$ $P(A \cup B) = 0,65$ $P(A \cap B) = 0,05$ $P(C) = 0,6$ $P(A \cup C) = 0,9$

Calculez :

a) $P(B)$ b) $P(A \cap C)$ c) $P(A|C)$

d) $P(C|A)$ e) $P(A|B)$ f) $P(B|A)$

3 Parmi les 200 élèves d'une école de langues, 38 % sont inscrits au cours d'espagnol, 55 % sont inscrits au cours d'anglais et 18 % sont inscrits aux deux cours.

a) Représentez cette situation par un diagramme de Venn.

b) Quelle est la probabilité de choisir au hasard un ou une élève :

1) inscrit au cours d'anglais ou au cours d'espagnol ?

2) inscrit au cours d'anglais sachant qu'il ou elle est inscrit au cours d'espagnol ?

3) qui n'est inscrit à aucun de ces cours ?

Le français, l'espagnol et le portugais, classifiés comme étant des langues romaines, sont issus du latin populaire.

4 Dans une ville, 70 % des habitants sont des non-fumeurs. Des spécialistes évaluent à 45 %
la probabilité qu'une personne qui fume soit atteinte du cancer du poumon au cours
de sa vie alors que cette probabilité est de 10 % pour les non-fumeurs. Si l'on choisit
au hasard une personne dans cette ville, quelle est la probabilité que cette personne :

a) ne soit pas atteinte du cancer du poumon sachant qu'elle est une non-fumeuse ?

b) soit fumeuse et soit atteinte du cancer du poumon ?

c) ne soit pas atteinte du cancer du poumon sachant qu'elle est une fumeuse ?

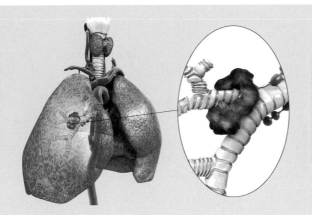

Le cancer du poumon demeure la principale cause de décès
par cancer, tant chez les femmes que chez les hommes.
Bien que l'exposition à l'amiante, la pollution atmosphérique
et les antécédents familiaux comptent parmi les facteurs
de risque, le tabagisme est la principale cause du cancer
du poumon.

5 Le tableau ci-dessous présente les activités les plus populaires des élèves d'une école
secondaire.

Activités les plus populaires

	Faire du ski	Aller au cinéma	Assister à une partie de hockey	Total
Nombre de filles	55	34	66	155
Nombre de garçons	87	25	105	217
Total	142	59	171	372

a) Si l'on choisit une personne au hasard, calculez :

1) P(fille et ski) ;

2) P(garçon ou cinéma) ;

3) P(fille | cinéma) ;

4) P(partie de hockey | garçon).

b) Si l'on choisit une personne au hasard, quelle
est la probabilité :

1) qu'elle soit un garçon sachant que cette
personne assiste à une partie de hockey ?

2) qu'elle assiste à une partie de hockey ?

Si quelques descentes ont eu lieu
auparavant, c'est en 1897 à Chamonix
que le ski a été organisé en tant que
véritable sport par l'Anglais Arnold Lunn.

6 Une joueuse de basket-ball réussit en moyenne 75 % de ses lancers francs.

a) Si, lors d'une partie, elle effectue 4 lancers francs, déterminez la probabilité :

   1) qu'elle réussisse les 4 lancers francs ;

   2) qu'elle réussisse les 2 derniers lancers francs sachant qu'elle a réussi les deux premiers ;

   3) qu'elle manque les 2 premiers lancers ;

   4) qu'elle réussisse les 3 premiers lancers.

b) Le fait de réussir un premier lancer franc a-t-il un impact sur la réussite d'un second ? Expliquez votre réponse.

> Au basket-ball, un lancer franc est un lancer de pénalité obtenu par un joueur ou une joueuse victime d'une faute (contact interdit) de la part de l'adversaire au moment d'un tir au panier. Un lancer franc donne droit à deux lancers, effectués à partir d'une ligne située à 4,60 m du panier.

7 Les 50 propriétaires d'un immeuble en copropriété doivent décider de la nouvelle couleur de la façade de l'immeuble. Le tableau suivant présente un résumé des votes obtenus selon les préférences exprimées.

Résultats du vote

Nombre de propriétaires qui ont ordonné les couleurs de cette façon	17	15	13	5
1er choix	Blanc	Gris	Bleu	Blanc
2e choix	Bleu	Bleu	Gris	Gris
3e choix	Gris	Blanc	Blanc	Bleu

Quelle sera la couleur de la façade si elle est déterminée à l'aide :

a) de la méthode de Borda ?

b) du principe de Condorcet ?

c) du vote par élimination ?

> Des maisons typiques du plateau Mont-Royal, à Montréal.

8 Dans un porte-monnaie, il y a 3 pièces de 25 ¢, 4 pièces de 1 $ ainsi que 2 pièces de 2 $. On y tire successivement et sans remise 2 pièces.

a) Construisez un arbre des probabilités qui représente cette situation.

b) Quelle est la probabilité que le montant total des pièces tirées soit de 4 $?

c) Quelle est la probabilité d'obtenir une pièce de 1 $ au second tirage sachant qu'une pièce de 1 $ a été obtenue au premier tirage ?

> Le caribou orne la pièce de 25 ¢ depuis 1936. Auparavant, cette pièce comportait deux branches d'érable croisées, motif qui apparaissait également sur les pièces de 10 ¢, de 25 ¢ et de 50 ¢.

9 Pour élire le dirigeant ou la dirigeante du conseil d'administration d'une ONG, chaque membre peut proposer la ou les personnes qu'il accepterait de voir occuper ce poste. On choisit ensuite la personne dont le nom revient le plus souvent. Le tableau suivant montre les résultats obtenus.

Résultats d'une élection

Nombre de membres qui ont proposé cette liste de candidats	39	32	26	18	12
Liste de candidats	Grégory	Jean	Fatima	Charles	Marcel
	Audrey	Claude	Claude		Geneviève
	Geneviève	Geneviève			Pierrette
	Anne	Marcel			

a) Quelle est la procédure de vote utilisée par cette organisation?

b) Qui sera le dirigeant ou la dirigeante du conseil d'administration?

Amnistie internationale, Human Right Watch et Action contre la faim sont des exemples d'ONG (organisations non gouvernementales) qui agissent dans une perspective mondiale en matière de droits de l'humain et de lutte contre la faim.

10 Le Parlement d'un pays divisé en 10 circonscriptions compte 20 sièges attribués de la façon suivante.

- 10 sièges sont attribués aux partis politiques proportionnellement au nombre de voix obtenues.
- 1 siège par circonscription est attribué selon la règle de la pluralité.

Voici les résultats des dernières élections dans ce pays:

Nombre de votes obtenus par chaque parti dans chaque circonscription

Parti \ Circonscription	1	2	3	4	5	6	7	8	9	10	Total
A	2500	1436	2134	2546	4365	873	3254	2456	342	3084	22 990
B	2453	2765	1434	2987	642	1664	2876	2543	1987	3879	26 230
C	3215	2322	3654	132	1007	2997	2764	2767	4007	3900	26 765

Quelle est la composition de ce Parlement?

11 Voici un tableau des préférences exprimées lors d'un vote:

Résultats du vote

Nombre d'électeurs qui ont ordonné les candidats de cette façon	74	64	50	42
1er choix	C	A	B	D
2e choix	D	B	C	C
3e choix	B	C	D	A
4e choix	A	D	A	B

On choisit au hasard une personne parmi celles qui ont voté. Quelle est la probabilité de choisir une personne:

a) dont le 1er choix correspond au vainqueur de l'élection selon la règle de la pluralité?

b) dont le 1er ou le 2e choix correspond au vainqueur de l'élection selon la méthode de Borda?

Au Québec, c'est le Directeur général des élections qui est responsable d'assurer la tenue des élections et des référendums. Il s'assure du respect des règles sur le financement politique et garantit le plein exercice des droits électoraux. C'est l'arbitre du système électoral du Québec.

12 Aliette et Janice communiquent à l'aide d'émetteurs-récepteurs portatifs dont la portée est de 500 m. Aliette est à l'intersection des rues Garnier et Joliette, et Janice se place au hasard à l'intérieur de la région représentée par le rectangle quadrillé ci-dessous. Chaque carré mesure 100 m de côté.

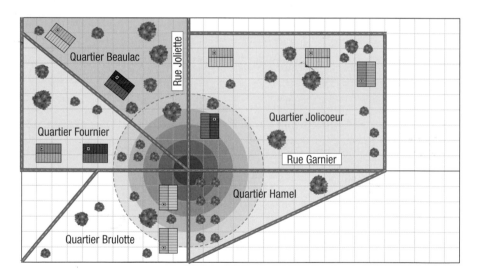

a) Quelle est la probabilité que Janice se trouve:

1) dans le quartier Brulotte sachant qu'Aliette et Janice ne peuvent pas communiquer?

2) dans le quartier Brulotte sachant qu'Aliette et Janice peuvent communiquer?

3) dans le quartier Beaulac sachant qu'Aliette et Janice ne peuvent pas communiquer et que Janice n'est pas dans le quartier Hamel?

b) Quelle est la probabilité qu'Aliette et Janice:

1) puissent communiquer sachant que Janice se trouve dans le quartier Fournier?

2) ne puissent pas communiquer sachant que Janice ne se trouve pas dans le quartier Jolicoeur ni dans le quartier Hamel?

13 Voici des données qui concernent l'obtention du diplôme d'études secondaires dans les deux écoles secondaires d'une ville.

Élèves de l'école Ⓐ

	Nombre de filles	Nombre de garçons	Total
A obtenu son diplôme	550	1250	1800
N'a pas obtenu son diplôme	50	250	300
Total	600	1500	2100

Élèves de l'école Ⓑ

	Nombre de filles	Nombre de garçons	Total
A obtenu son diplôme	630	150	780
N'a pas obtenu son diplôme	450	150	600
Total	1080	300	1380

À la fin du XIIIᵉ siècle et au début du XIVᵉ siècle, la barrette, qui est l'ancêtre du traditionnel chapeau de graduation, était portée couramment par les avocats, les juges et les médecins.

On utilise ces données pour déterminer la probabilité qu'un ou une élève obtienne son diplôme d'études secondaires.

a) Quelle est la probabilité qu'un élève de cette ville obtienne son diplôme d'études secondaires sachant qu'il s'agit :

    1) d'un garçon ?
        2) d'une fille ?

b) D'un garçon ou d'une fille de cette ville, qui a la plus grande probabilité d'obtenir son diplôme ?

c) Quelle est la probabilité qu'un élève de cette ville obtienne son diplôme d'études secondaires sachant qu'il s'agit :

    1) d'une fille qui a étudié à l'école Ⓐ ?

    2) d'un garçon qui a étudié à l'école Ⓐ ?

    3) d'une fille qui a étudié à l'école Ⓑ ?

    4) d'un garçon qui a étudié à l'école Ⓑ ?

d) D'un garçon ou d'une fille qui a étudié :

    1) à l'école Ⓐ, qui a la plus grande probabilité d'obtenir son diplôme ?

    2) à l'école Ⓑ, qui a la plus grande probabilité d'obtenir son diplôme ?

e) Expliquez en quoi les réponses aux questions b) et d) semblent contradictoires.

14 Il est possible de représenter le principe de Condorcet par un graphe orienté dans lequel:

- chaque sommet correspond à un candidat ou une candidate;
- chaque arête correspond à une préférence.

Par exemple, une arête dont la valeur est 5 et orientée de A vers B signifie que 5 électeurs préfèrent A à B.

a) Complétez le graphe ci-dessous qui traduit les résultats d'une élection.

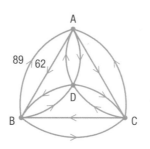

Résultats d'une élection

Nombre d'électeurs qui ont ordonné les candidats de cette façon	62	45	23	21
1er choix	A	B	D	C
2e choix	B	C	C	D
3e choix	C	D	B	B
4e choix	D	A	A	A

À partir de ce graphe, on peut représenter le graphe des duels sur lequel on conserve seulement les arêtes de plus grande valeur entre deux sommets.

b) Complétez le graphe des duels ci-contre.

c) Graphiquement, comment reconnaît-on la ou le vainqueur de l'élection?

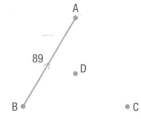

Le tableau et le graphe ci-dessous présentent un résumé des résultats d'une autre élection.

Résultats d'une élection

Nombre d'électeurs qui ont ordonné les candidats de cette façon	15	13	10	9	6
1er choix	B	D	C	A	B
2e choix	A	B	D	C	C
3e choix	D	C	A	B	A
4e choix	C	A	B	D	D

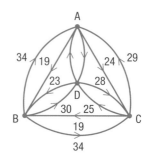

d) À partir des résultats ci-dessus, complétez le graphe des duels ci-contre sur lequel chaque arête représente le nombre de votes par lequel un candidat ou une candidate a remporté le duel contre un autre candidat ou une autre candidate. Par exemple, une arête orientée de A vers B et de valeur 5 signifie que A a remporté le duel contre B par 5 votes.

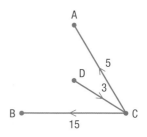

e) Expliquez pourquoi il est impossible de déterminer la ou le vainqueur par le principe de Condorcet.

f) Une façon de déterminer la ou le vainqueur consiste à éliminer une à une les arêtes ayant une plus faible valeur jusqu'à ce qu'on distingue un candidat ou une candidate qui ne perd aucun duel. Déterminez la ou le vainqueur en appliquant cette méthode.

15 Les électeurs d'une circonscription doivent élire deux députés parmi quatre candidats. Voici les résultats :

Résultats des élections

Nombre d'électeurs qui ont ordonné les candidats de cette façon	5478	4327	3480	2530	1657
1er choix	Julie P.	Pauline F.	Antoine R.	Julie P.	Samir H.
2e choix	Antoine R.	Antoine R.	Pauline F.	Pauline F.	Antoine R.
3e choix	Samir H.	Samir H.	Julie P.	Antoine R.	Pauline F.
4e choix	Pauline F.	Julie P.	Samir H.	Samir H.	Julie P.

Déterminez les vainqueurs si l'on applique :

a) la méthode de Borda et on choisit les deux candidats qui obtiennent le plus de votes ;

b) le vote par élimination et on garde les deux candidats qui restent.

16 Le Parlement d'un pays qui compte 150 sièges est divisé en 10 circonscriptions. Le tableau ci-dessous fournit des renseignements à ce sujet.

Répartition de la population dans les circonscriptions

Circonscription	1	2	3	4	5	6	7	8	9	10
Pourcentage des électeurs habitant cette circonscription	14	8	10	10	12	8	6	12	12	8

Voici les résultats d'une élection qui a eu lieu dans ce pays.

Résultats d'une élection

Parti \ Circonscription	1	2	3	4	5	6	7	8	9	10
A	10 %	35 %	23 %	24 %	14 %	7 %	35 %	40 %	33 %	33 %
B	43 %	33 %	31 %	51 %	11 %	48 %	12 %	28 %	31 %	33 %
C	47 %	32 %	46 %	25 %	75 %	45 %	53 %	32 %	36 %	34 %

a) Déterminez le pourcentage de votes obtenu par chaque parti dans ce pays.

b) 1) Déterminez la composition du Parlement si le scrutin proportionnel est utilisé.

    2) Le parti qui remporte le plus de sièges sera-t-il majoritaire ? Expliquez votre réponse.

c) On attribue à chaque circonscription un nombre de sièges proportionnel à sa population, et les sièges d'une même circonscription sont attribués aux partis selon un scrutin proportionnel.

    1) Déterminez la composition du Parlement.

    2) Le parti qui remporte le plus de sièges sera-t-il majoritaire ? Expliquez votre réponse.

banque de problèmes

1 Une expérience aléatoire consiste à lancer 2 dés à 6 faces numérotées de 1 à 6 et à en observer les faces supérieures. Voici trois événements possibles :

> A : le nombre inscrit sur la face supérieure du premier dé est pair
> B : le nombre inscrit sur la face supérieure du second dé est pair
> C : la somme des nombres inscrits sur la face supérieure des deux dés est impaire

Une élève fait le raisonnement suivant.

« Puisque $P(A) = P(B) = P(C) = \frac{1}{2}$, alors $P(A \cap B \cap C) = \frac{1}{2} \times \frac{1}{2} \times \frac{1}{2} = \frac{1}{8}$. Il y a donc 1 chance sur 8 que les deux nombres soient pairs et que leur somme soit impaire. »

Expliquez à cette élève la ou les erreurs commises dans son raisonnement.

2 Un robot saisit un objet au hasard parmi 5 assiettes, 2 cerceaux, 20 fourchettes, 7 boîtes pleines, 15 boîtes vides, une brocheuse et un trombone. Il est programmé pour effectuer une tâche basée sur un calcul des probabilités. Voici des renseignements relatifs à cette situation :

Événement	Tâche effectuée
L'objet saisi est une boîte vide.	Mettre dans le bac de recyclage.
L'objet saisi est une boîte pleine.	Déposer sur la table du salon.
L'objet saisi est un cerceau.	Déposer dans le coffre à jouets.
L'objet saisi est une assiette.	Déposer dans l'armoire.
L'objet saisi est une fourchette.	Déposer dans l'armoire.

Renseignements que le programmeur peut transmettre au robot	
L'objet saisi est une boîte.	L'objet saisi n'est pas une boîte.
L'objet saisi est circulaire.	L'objet saisi n'est pas circulaire.
L'objet saisi est un accessoire de cuisine.	L'objet saisi n'est pas un accessoire de cuisine.

Lorsque :

- la probabilité d'un événement est supérieure à 65 %, le robot effectue la tâche associée à cet événement ;

- les probabilités de plusieurs événements sont supérieures à 65 %, le robot effectue la tâche associée à l'événement ayant la plus forte probabilité ;

- les probabilités de tous les événements sont inférieures à 65 %, le robot répond : « Besoin d'information ».

Le robot choisit un cerceau et dit : « Besoin d'information ». Décrivez ce que le programmeur doit transmettre au robot pour qu'il dépose le cerceau dans le coffre à jouets.

La notion de probabilité conditionnelle est importante dans le développement de l'intelligence artificielle.

3 Voici 2 situations :

> ### Situation ①
>
> Trois pièces de monnaie sont lancées simultanément. Il est certain que deux pièces présenteront le même côté. On cherche donc la probabilité que les trois pièces montrent le même côté sachant que deux pièces montrent le même côté.

> ### Situation ②
>
> Trois pièces de monnaie sont lancées l'une après l'autre. On cherche la probabilité que les trois pièces montrent le même côté sachant que les deux premières pièces montrent le même côté.

Démontrez que la probabilité que les trois pièces montrent le même côté est plus élevée dans la situation ② que dans la situation ①.

4 **PROBLÈME DE MONTY HALL** Voici les règles d'un jeu télévisé dans lequel l'objectif est de gagner une voiture.

- Il y a trois portes.
- Derrière une de ces portes, il y a une voiture et derrière chaque autre porte, il y a une chèvre.
- Le présentateur sait derrière quelle porte est la voiture.
- Le participant choisit au hasard une porte sans l'ouvrir.
- Une fois ce choix effectué, le présentateur ouvre l'une des deux autres portes derrière laquelle il sait qu'il y a une chèvre, puis il offre au participant la possibilité de changer son choix.
- Une fois le choix du participant effectué, la porte choisie est ouverte et le participant repart avec ce qu'il y avait derrière.

Le participant devrait-il changer son choix lorsque l'occasion lui est offerte ?

Le jeu télévisé américain des années 1980, *Let's make a deal,* présenté par Monty Hall, était basé sur un problème probabiliste déjà connu. Il a alors été rebaptisé «problème de Monty Hall».

5 Lors de l'analyse des résultats d'un vote, le critère de la majorité stipule que si un candidat est préféré par plus de la moitié des électeurs, alors ce candidat doit être retenu.

Montrez que le principe de Condorcet à trois candidats respecte toujours ce critère.

 6 Les tableaux ci-dessous montrent les résultats obtenus après 1200 lancers d'un dé équilibré et d'un dé pipé.

Dé équilibré

Résultat	Fréquence
1	200
2	200
3	200
4	200
5	200
6	200

Dé pipé

Résultat	Fréquence
1	50
2	250
3	100
4	50
5	150
6	600

Kim choisit au hasard un dé et le lance deux fois de suite. Quelle est la probabilité qu'elle ait choisi le dé pipé sachant qu'elle a obtenu deux fois le nombre 6 ?

 7 Lorsqu'un électeur ou une électrice estime que son candidat favori n'a aucune chance de l'emporter, il ou elle peut procéder à un vote stratégique.

Le vote stratégique consiste à voter pour un parti que l'on aime moins pour diminuer les chances qu'un parti qu'on aime encore moins gagne l'élection.

Un journal publie les résultats d'un sondage précédant une élection où le parti vainqueur est déterminé à l'aide du vote par élimination. Voici ces résultats :

Résultats d'un sondage

Groupe		1	2	3
Préférences du groupe	1er choix	Parti B	Parti C	Parti A
	2e choix	Parti C	Parti A	Parti D
	3e choix	Parti A	Parti D	Parti B
	4e choix	Parti D	Parti B	Parti C
Pourcentage d'électeurs dans ce groupe		47,6	28,6	23,8

À la suite de ce sondage, les électeurs du groupe 2 estiment que leur candidat ne remportera pas l'élection et décident alors de voter comme les électeurs du groupe 3.

Rédigez pour ce journal un court article qui explique en quoi le vote par élimination encourage le vote stratégique dans cette situation.

En 1994, le Parlement européen comptait 567 sièges répartis entre les 12 pays suivants.

Population européenne en 1994

Pays		Population	Pays		Population
France		57 565 008	Belgique		10 100 631
Allemagne		81 538 603	Danemark		5 275 791
Royaume-Uni		57 654 353	Irlande		3 375 748
Espagne		40 003 942	Luxembourg		402 437
Portugal		9 953 723	Grèce		10 510 996
Italie		57 246 023	Pays-Bas		15 342 761

Le tableau ci-dessous présente les résultats des élections européennes en Irlande.

Élections des représentants de l'Irlande au Parlement européen

Parti A		Parti B		Parti C	
Candidat ou candidate	Nombre de votes	Candidat ou candidate	Nombre de votes	Candidat ou candidate	Nombre de votes
1	40 322	1	9 353	1	3 455
2	52 344	2	23 437	2	63 843
3	14 030	3	19 436	3	5 462
4	85 504	4	1321	4	25 431
5	22 460	5	41 356	5	7 465
6	32 570	6	8 665	6	13 767
7	27 874	7	26 526	7	32 763
8	19 602	8	51 243	8	45 274
9	29 420	9	17 249	9	14 387
10	27 302	10	9 432	10	6 459
Total: 351 428		Total: 208 018		Total: 218 306	

Le Dolmen de Poulnabrone a été érigé il y a quelque 5800 ans dans le comté de Clare, sur la côte ouest de l'Irlande. Il aurait servi d'hôtel funéraire et de lieu de cérémonies sacrées.

De plus, on suppose que:

• chaque pays se voit attribuer un nombre de sièges proportionnel à sa population;

• la population de l'Irlande élit ses députés européens par un scrutin proportionnel;

• les sièges remportés par un parti sont attribués aux candidats de ce parti qui ont obtenu le plus de votes.

Quels candidats représentaient l'Irlande au Parlement européen?

ALBUM
TABLE DES MATIÈRES

Technologies **146**

Calculatrice graphique **146**

Tableur **148**

Logiciel de géométrie dynamique **150**

Savoirs **152**

Notations et symboles **152**

Le système international d'unités (SI) **155**

Énoncés de géométrie **156**

Repères **162**

Calculatrice graphique

Divers types de calculs

Il est possible d'effectuer des calculs scientifiques et d'évaluer numériquement des expressions algébriques et des expressions logiques.

Calculs scientifiques

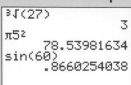

Expressions logiques

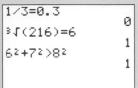

Expressions algébriques

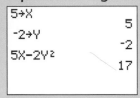

Touches graphiques

Touches de déplacement du curseur

Touches d'édition

Touches de menus

Touches de calcul scientifique

Écran d'affichage

Probabilités

1. Menu probabilités

```
MATH NUM CPX PRB
1:NbrAléat
2:Arrangement
3:Combinaison
4:!
5:entAléat(
6:normAléat(
7:BinAléat(
```

- Ce menu permet, entre autres, de simuler des expériences aléatoires. Le cinquième choix permet de générer une série de nombres entiers aléatoirement. Syntaxe: entAléat (valeur minimale, valeur maximale, nombre de répétitions).

2. Calculs et résultats

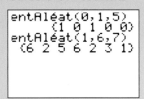

- Le premier exemple simule cinq lancers d'une pièce de monnaie où 0 représente pile et 1 représente face. Le second exemple simule sept lancers d'un dé à six faces.

Affichage d'une table de valeurs

1. Éditer les règles.

```
Graph1 Graph2 Graph3
\Y1■2^X
\Y2■0.5X²
\Y3=
\Y4=
\Y5=
\Y6=
\Y7=
```

- Cet écran permet d'éditer les règles d'une ou de plusieurs fonctions où Y est la variable dépendante et X, la variable indépendante.

2. Définir l'affichage.

```
DÉFINIR TABLE
 DébTbl=0
 Pas=1
Valeurs:Auto Dem
Calculs:Auto Dem
```

- Cet écran permet de définir l'affichage d'une table de valeurs en Y indiquant la valeur de départ de X et le pas de variation en X.

3. Afficher la table de valeurs.

- Cet écran permet d'afficher la table de valeurs des règles définies à l'écran d'édition des fonctions.

Affichage d'un graphique

1. Éditer les règles.

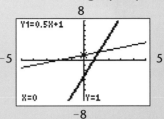

- Au besoin, il est possible de modifier l'aspect (trait normal, gras ou en pointillé, par exemple) d'une courbe associée à une règle.

2. Définir l'affichage.

```
FENETRE
 Xmin=-5
 Xmax=5
 Xgrad=1
 Ymin=-8
 Ymax=8
 Ygrad=1
 Xres=1
```

- Cet écran permet de définir l'affichage de l'écran graphique en délimitant la portion du plan cartésien désirée: Xgrad correspond au pas de graduation de l'axe des abscisses et Ygrad, à celui des ordonnées.

3. Afficher le graphique.

- Cet écran permet d'afficher le graphique des règles définies à l'écran d'édition des fonctions. Au besoin, il est possible de déplacer le curseur le long des courbes tout en visualisant ses coordonnées.

Affichage d'un nuage de points et calculs statistiques

1. Entrée des données

- Cet écran permet d'entrer les données d'une distribution. Pour une distribution à deux caractères, l'entrée des données se fait sur deux colonnes.

2. Choix du diagramme

- Cet écran permet de choisir le type de diagramme statistique.

  ⊡ : nuage de points

  ⊿ : diagramme à ligne brisée

  ▥ : histogramme

  ⊟ : diagramme de quartiles

3. Affichage du diagramme

- Cet écran permet d'afficher le nuage de points.

4. Calculs statistiques

```
EDIT CALC TESTS
1:Stats 1-Var
2:Stats 2-Var
3:Med-Med
4:RegLin(ax+b)
5:RegQuad
6:RegCubique
7↓RegQuatre
```

- Ce menu permet d'accéder à différents calculs statistiques, dont celui de l'équation de la droite de régression.

5. Régression et corrélation

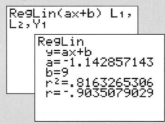

```
RegLin
 y=ax+b
 a=-1.142857143
 b=9
 r²=.8163265306
 r=-.9035079029
```

- Ces deux écrans permettent d'obtenir l'équation de la droite de régression et le coefficient de corrélation linéaire.

6. Affichage de la droite

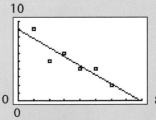

- La droite de régression peut être affichée à même le nuage de points.

Tableur

Un tableur est aussi appelé un chiffrier électronique. Ce type de logiciel permet d'effectuer des calculs sur des nombres entrés dans des cellules. On utilise principalement le tableur pour réaliser des calculs de façon automatique sur un grand nombre de données, construire des tableaux et tracer des graphiques.

Interface du tableur

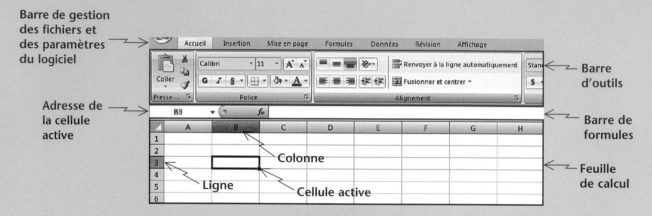

Barre de gestion des fichiers et des paramètres du logiciel

Adresse de la cellule active

Colonne

Ligne

Cellule active

Barre d'outils

Barre de formules

Feuille de calcul

Qu'est-ce qu'une cellule ?

Une cellule est l'intersection d'une colonne et d'une ligne. Une colonne est désignée par une lettre majuscule et une ligne est désignée par un nombre. Ainsi, la première cellule en haut à gauche est nommée A1.

Entrée de nombres, de texte et de formules dans les cellules

On peut entrer un nombre, un texte ou une formule dans une cellule après avoir cliqué dessus. L'utilisation d'une formule permet de faire des calculs à partir de nombres déjà entrés dans des cellules. Pour entrer une formule dans une cellule, il suffit de la sélectionner, puis de commencer la saisie par le symbole « = ».

Ex. :
La colonne A contient des données avec lesquelles on désire effectuer des calculs.

Dans un tableur, certaines fonctions sont prédéfinies pour calculer la somme, le minimum, le maximum, le mode, la médiane, la moyenne et l'écart moyen d'un ensemble de données.

	A	B	C	
1	Résultats			
2	27,4	Nombre de données	17	=NB(A2:A18)
3	30,15			
4	15	Somme	527	=SOMME(A2:A18)
5	33,8			
6	12,3	Minimum	12,3	=MIN(A2:A18)
7	52,6			
8	28,75	Maximum	52,6	=MAX(A2:A18)
9	38,25			
10	21,8	Mode	33,8	=MODE(A2:A18)
11	35			
12	29,5	Médiane	30,15	=MEDIANE(A2:A18)
13	27,55			
14	33,8	Moyenne	31	=MOYENNE(A2:A18) ou =C4/C2
15	15			
16	33,8	Écart moyen	8,417647059	=ECART.MOYEN(A2:A18)
17	50			
18	42,3			
19				

Comment tracer un graphique

Voici une procédure qui permet de construire un graphique à l'aide d'un tableur.

1) Sélection de la plage de données

2) Sélection de l'assistant graphique

3) Choix du type de graphique

4) Confirmation des données pour le graphique

5) Choix des options du graphique

6) Choix de l'emplacement du graphique

7) Tracé du graphique

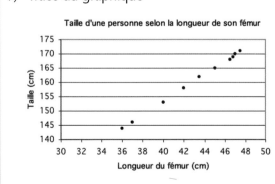

Après avoir tracé le graphique, on peut en modifier les différents éléments en double-cliquant sur l'élément que l'on veut modifier : titre, échelle, légende, quadrillage, tracé du graphique, etc.

Voici différents types de graphiques que l'on peut construire à l'aide du tableur.

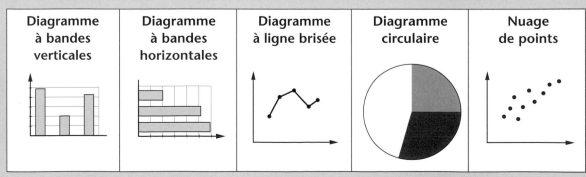

| Diagramme à bandes verticales | Diagramme à bandes horizontales | Diagramme à ligne brisée | Diagramme circulaire | Nuage de points |

Logiciel de géométrie dynamique

Un logiciel de géométrie dynamique permet de tracer et de déplacer différents objets dans un espace de travail. L'aspect dynamique de ce type de logiciel permet d'explorer et de vérifier des propriétés géométriques, et de valider des constructions.

L'espace de travail et les outils

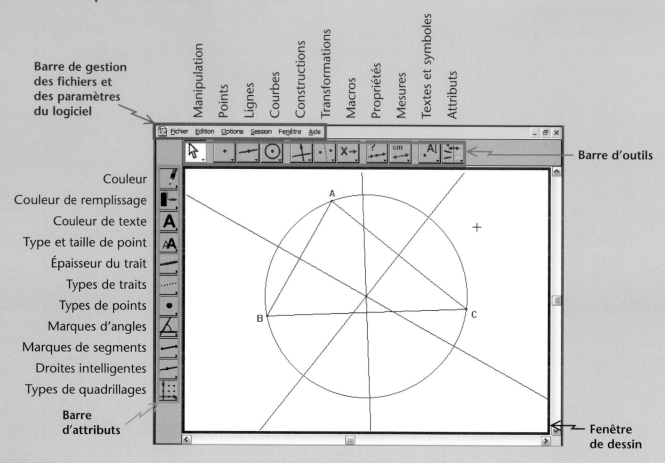

L'aspect des curseurs et leur signification

+	Curseur lors du déplacement dans la fenêtre de dessin.
✋	Curseur pour désigner un objet.
Quel objet ?	Curseur apparaissant lorsqu'il y a plusieurs objets.
☟	Curseur permettant le tracé des objets.
✍	Curseur désignant le déplacement possible d'un objet.
☞	Curseur permettant de travailler dans la barre de gestion des fichiers et dans la barre d'outils.
🖌	Curseur apparaissant lorsqu'on veut remplir un objet d'une couleur.
✎	Curseur apparaissant lorsqu'on change l'attribut de l'objet sélectionné.

Des explorations géométriques

1) Une médiane divise un triangle en deux autres triangles. Afin d'explorer les particularités de ces deux triangles, on effectue la construction ci-dessous. Pour vérifier si les triangles ABD et ACD ont la même aire, on peut calculer l'aire de chacun des triangles. En déplaçant les points A, B et C, on remarque que l'aire des deux triangles est toujours la même.

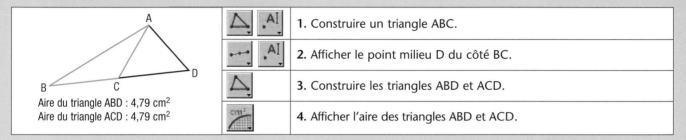

	1. Construire un triangle ABC.
	2. Afficher le point milieu D du côté BC.
	3. Construire les triangles ABD et ACD.
	4. Afficher l'aire des triangles ABD et ACD.

Aire du triangle ABD : 4,79 cm²
Aire du triangle ACD : 4,79 cm²

2) Dans un triangle rectangle, afin de connaître la relation qui existe entre la position du milieu de l'hypoténuse par rapport aux trois sommets du triangle, on effectue la construction ci-dessous. En déplaçant les points A, B et C, on remarque que le milieu de l'hypoténuse d'un triangle rectangle est équidistant des trois sommets.

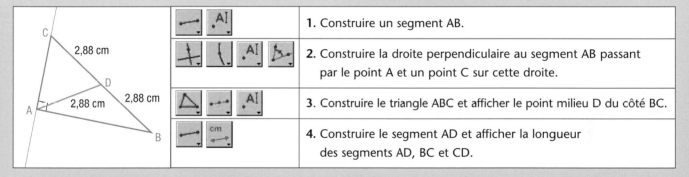

	1. Construire un segment AB.
	2. Construire la droite perpendiculaire au segment AB passant par le point A et un point C sur cette droite.
	3. Construire le triangle ABC et afficher le point milieu D du côté BC.
	4. Construire le segment AD et afficher la longueur des segments AD, BC et CD.

Une exploration graphique

Afin de connaître le lien qui existe entre les pentes de deux droites perpendiculaires dans le plan cartésien, on effectue la construction ci-dessous. En affichant le produit des pentes et en modifiant l'inclinaison d'une des droites, on peut observer une particularité numérique : le produit des pentes de deux droites perpendiculaires est –1.

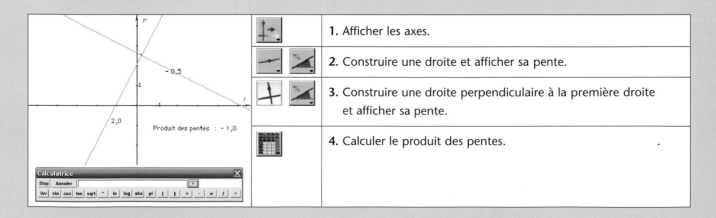

	1. Afficher les axes.
	2. Construire une droite et afficher sa pente.
	3. Construire une droite perpendiculaire à la première droite et afficher sa pente.
	4. Calculer le produit des pentes.

Notations et symboles

Notation et symbole	Signification
{ }	Accolades. Utilisées pour énumérer les éléments faisant partie d'un ensemble.
$\mathbb{N}$	Ensemble des nombres naturels
$\mathbb{Z}$	Ensemble des nombres entiers
$\mathbb{Q}$	Ensemble des nombres rationnels
$\mathbb{Q}'$	Ensemble des nombres irrationnels
$\mathbb{R}$	Ensemble des nombres réels
$\cup$	Union d'ensembles
$\cap$	Intersection d'ensembles
Ω	Se lit «oméga». L'univers des résultats possibles d'une expérience aléatoire.
$\varnothing$ ou { }	Ensemble vide
$=$	… est égal à…
$\neq$	… n'est pas égal à… ou … est différent de…
$\approx$	… est approximativement égal à… ou … est à peu près égal à…
$<$	… est inférieur à…
$>$	… est supérieur à…
$\leq$	… est inférieur ou égal à…
$\geq$	… est supérieur ou égal à…
$[a, b]$	Intervalle incluant a et b
$[a, b[$	Intervalle incluant a et excluant b
$]a, b]$	Intervalle excluant a et incluant b
$]a, b[$	Intervalle excluant a et b
∞	Infini
(a, b)	Couple de valeurs a et b
$f(x)$	f de x ou image de x par la fonction f
f^{-1}	Réciproque de la fonction f
$f \circ g$	Se lit «f rond g». Composée de la fonction g suivie de la fonction f.
( )	Parenthèses. Indiquent les opérations à effectuer en premier.
$-a$	Opposé du nombre a

Notation et symbole	Signification
$\frac{1}{a}$ ou a^{-1}	Inverse de a
a^2	La deuxième puissance de a ou a au carré
a^3	La troisième puissance de a ou a au cube
$\sqrt{a}$	Radical a ou racine carrée de a
$\sqrt[3]{a}$	Racine cubique de a
$|a|$	Valeur absolue de a
%	Pourcentage
$a : b$	Rapport de a à b
π	Se lit «pi» et $\pi \approx 3,1416$
$\overline{AB}$	Segment AB
m $\overline{AB}$	Mesure du segment AB
$\angle$	Angle
m $\angle$	Mesure d'un angle
$\overset{\frown}{AB}$	Arc de cercle AB
m $\overset{\frown}{AB}$	Mesure de l'arc de cercle AB
//	… est parallèle à…
$\perp$	… est perpendiculaire à…
⌐	Désigne un angle droit dans une figure géométrique plane.
$\triangle$	Triangle
$\cong$	… est isométrique à…
~	… est semblable à…
$\overset{\wedge}{=}$	… correspond à…
$P(E)$	Probabilité de l'événement E
$P(A \mid B)$	Probabilité que l'événement B se produise sachant que l'événement A s'est déjà produit.
A'	Se lit «A complément». Événement complémentaire à l'événement A.
Méd	Médiane d'une distribution
Q_1, Q_2, Q_3	Premier quartile, deuxième quartile et troisième quartile d'une distribution
Δx	Se lit «delta x». Variation ou accroissement en x.

Notation et symbole	Signification
d(A, B)	Distance entre les points A et B
°	Degré
rad	Radian
sin A	Sinus de l'angle A
cos A	Cosinus de l'angle A
tan A	Tangente de l'angle A
arc sin x	Arc sinus de x
arc cos x	Arc cosinus de x
arc tan x	Arc tangente de x
sec A	Sécante de l'angle A
cosec A	Cosécante de l'angle A
cotan A	Cotangente de l'angle A
$[a]$	Partie entière de a
$\log_c a$	Logarithme de a dans la base c
$\log a$	Logarithme de a dans la base 10
$\ln a$	Logarithme de a dans la base e
$a!$	Factorielle de a
t	Translation
r	Rotation
s	Réflexion
h	Homothétie
$\vec{a}$	Vecteur a
$\|\vec{a}\|$	Norme du vecteur a
$\vec{a} \cdot \vec{b}$	Produit scalaire du vecteur a et du vecteur b

Le système international d'unités (SI)

Unités de base

Mesure	Unité	Symbole
longueur	mètre	m
masse	kilogramme	kg
temps, durée	seconde	s
courant électrique	ampère	A
température	kelvin	K
quantité de matière	mole	mol
intensité lumineuse	candela	cd

Unités dont l'usage est accepté dans le SI

Mesure	Unité	Symbole
aire ou superficie	mètre carré hectare	m^2 ha
angle plan	degré	º
différence de potentiel électrique	volt	V
énergie, travail	joule wattheure	J Wh
force	newton	N
fréquence	hertz	H
masse	tonne	t
pression	pascal millimètre de mercure	Pa mm Hg
puissance	watt	W
résistance électrique	ohm	Ω
température	degré Celsius	ºC
temps	minute heure jour	min h d
vitesse	mètre par seconde kilomètre par heure	m/s km/h
volume	mètre cube litre	m^3 L

Préfixes SI

Facteur par lequel l'unité est multipliée	Nom	Symbole	Facteur par lequel l'unité est multipliée	Nom	Symbole
10^1	déca	da	10^{-1}	déci	d
10^2	hecto	h	10^{-2}	centi	c
10^3	kilo	k	10^{-3}	milli	m
10^6	méga	M	10^{-6}	micro	μ
10^9	giga	G	10^{-9}	nano	n

Énoncés de géométrie

	Énoncé	Exemple
1.	Si deux droites sont parallèles à une troisième, alors elles sont aussi parallèles entre elles.	Si $d_1 /\!/ d_2$ et $d_2 /\!/ d_3$, alors $d_1 /\!/ d_3$.
2.	Si deux droites sont perpendiculaires à une troisième, alors elles sont parallèles.	Si $d_1 \perp d_3$ et $d_2 \perp d_3$, alors $d_1 /\!/ d_2$.
3.	Si deux droites sont parallèles, toute perpendiculaire à l'une d'elles est perpendiculaire à l'autre.	Si $d_1 /\!/ d_2$ et $d_3 \perp d_2$, alors $d_3 \perp d_1$.
4.	Des angles adjacents dont les côtés extérieurs sont en ligne droite sont supplémentaires.	Les points A, B et D sont alignés. $\angle$ ABC et $\angle$ CBD sont adjacents et supplémentaires.
5.	Des angles adjacents dont les côtés extérieurs sont perpendiculaires sont complémentaires.	$\overline{AB} \perp \overline{BD}$ $\angle$ ABC et $\angle$ CBD sont adjacents et complémentaires.
6.	Les angles opposés par le sommet sont isométriques.	$\angle 1 \cong \angle 3$ $\angle 2 \cong \angle 4$
7.	Si une droite coupe deux droites parallèles, alors les angles alternes-internes, alternes-externes et correspondants sont respectivement isométriques.	Si $d_1 /\!/ d_2$, alors les angles 1, 3, 5 et 7 sont isométriques, et les angles 2, 4, 6 et 8 sont isométriques.
8.	Dans le cas d'une droite coupant deux droites, si deux angles correspondants (ou alternes-internes, ou encore alternes-externes) sont isométriques, alors ils sont formés par des droites parallèles coupées par une sécante.	Dans la figure de l'énoncé 7, si les angles 1, 3, 5 et 7 sont isométriques et les angles 2, 4, 6 et 8 sont isométriques, alors $d_1 /\!/ d_2$.
9.	Si une droite coupe deux droites parallèles, alors les paires d'angles internes situées du même côté de la sécante sont supplémentaires.	Si $d_1 /\!/ d_2$, alors m $\angle 1$ + m $\angle 2 = 180°$ et m $\angle 3$ + m $\angle 4 = 180°$.

	Énoncé	Exemple
10.	La somme des mesures des angles intérieurs d'un triangle est 180°.	m $\angle$ 1 + m $\angle$ 2 + m $\angle$ 3 = 180°
11.	Les éléments homologues de figures planes ou de solides isométriques ont la même mesure.	$\overline{AD} \cong \overline{A'D'}$, $\overline{CD} \cong \overline{C'D'}$, $\overline{BC} \cong \overline{B'C'}$, $\overline{AB} \cong \overline{A'B'}$ $\angle$ A $\cong$ $\angle$ A', $\angle$ B $\cong$ $\angle$ B', $\angle$ C $\cong$ $\angle$ C', $\angle$ D $\cong$ $\angle$ D'
12.	Dans tout triangle isocèle, les angles opposés aux côtés isométriques sont isométriques.	Dans un triangle isocèle ABC : $\overline{AB} \cong \overline{AC}$ $\angle$ C $\cong$ $\angle$ B
13.	L'axe de symétrie d'un triangle isocèle supporte une médiane, une médiatrice, une bissectrice et une hauteur de ce triangle.	Axe de symétrie du triangle ABC Médiane issue du sommet A Médiatrice du côté BC Bissectrice de l'angle A Hauteur issue du sommet A
14.	Les côtés opposés d'un parallélogramme sont isométriques.	Dans un parallélogramme ABCD : $\overline{AB} \cong \overline{CD}$ et $\overline{AD} \cong \overline{BC}$.
15.	Les diagonales d'un parallélogramme se coupent en leur milieu.	Dans un parallélogramme ABCD : $\overline{AE} \cong \overline{EC}$ et $\overline{DE} \cong \overline{EB}$.
16.	Les angles opposés d'un parallélogramme sont isométriques.	Dans un parallélogramme ABCD : $\angle$ A $\cong$ $\angle$ C et $\angle$ B $\cong$ $\angle$ D.
17.	Dans un parallélogramme, la somme des mesures de deux angles consécutifs est 180°.	Dans un parallélogramme ABCD : m $\angle$ 1 + m $\angle$ 2 = 180° m $\angle$ 2 + m $\angle$ 3 = 180° m $\angle$ 3 + m $\angle$ 4 = 180° m $\angle$ 4 + m $\angle$ 1 = 180°
18.	Les diagonales d'un rectangle sont isométriques.	Dans un rectangle ABCD : $\overline{AC} \cong \overline{BD}$
19.	Les diagonales d'un losange sont perpendiculaires.	Dans un losange ABCD : $\overline{AC} \perp \overline{BD}$
20.	La mesure d'un angle extérieur d'un triangle est égale à la somme des mesures des angles intérieurs qui ne lui sont pas adjacents.	m $\angle$ 3 = m $\angle$ 1 + m $\angle$ 2

	Énoncé	Exemple
21.	Dans un triangle, au plus grand angle est opposé le plus grand côté.	Dans le triangle ABC, le plus grand angle est A, donc le plus grand côté est BC.
22.	Dans un triangle, au plus petit angle est opposé le plus petit côté.	Dans le triangle ABC, le plus petit angle est B, donc le plus petit côté est AC.
23.	La somme des mesures de deux côtés d'un triangle est toujours supérieure à la mesure du troisième côté.	$2 + 5 > 4$ $2 + 4 > 5$ $4 + 5 > 2$
24.	La somme des mesures des angles intérieurs d'un quadrilatère est 360°.	$m \angle 1 + m \angle 2 + m \angle 3 + m \angle 4 = 360°$
25.	La somme des mesures des angles intérieurs d'un polygone à n côtés est $n \times 180° - 360°$ ou $(n - 2) \times 180°$.	$n \times 180° - 360°$ ou $(n - 2) \times 180°$
26.	La somme des mesures des angles extérieurs d'un polygone convexe est 360°.	$m \angle 1 + m \angle 2 + m \angle 3 +$ $m \angle 4 + m \angle 5 + m \angle 6 = 360°$
27.	Les angles homologues des figures planes ou des solides semblables sont isométriques et les mesures des côtés homologues sont proportionnelles.	Le triangle ABC est semblable au triangle A'B'C' : $\angle A \cong \angle A'$ $\angle B \cong \angle B'$ $\angle C \cong \angle C'$ $\dfrac{m\ \overline{A'B'}}{m\ \overline{AB}} = \dfrac{m\ \overline{B'C'}}{m\ \overline{BC}} = \dfrac{m\ \overline{A'C'}}{m\ \overline{AC}}$
28.	Dans des figures planes semblables, le rapport entre les aires est égal au carré du rapport de similitude.	Dans les figures de l'énoncé 27, $\dfrac{m\ \overline{A'B'}}{m\ \overline{AB}} = \dfrac{m\ \overline{B'C'}}{m\ \overline{BC}} = \dfrac{m\ \overline{A'C'}}{m\ \overline{AC}} = k$ ← Rapport de similitude $\dfrac{\text{aire du triangle A'B'C'}}{\text{aire du triangle ABC}} = k^2$
29.	Trois points non alignés déterminent un et un seul cercle.	Il existe un seul cercle passant par les points A, B et C.
30.	Toutes les médiatrices des cordes d'un cercle se rencontrent au centre de ce cercle.	d_1 et d_2 sont respectivement les médiatrices des cordes AB et CD. Le point d'intersection M de ces médiatrices correspond au centre du cercle.

	Énoncé	Exemple
31.	Tous les diamètres d'un cercle sont isométriques.	$\overline{AD}$, $\overline{BE}$ et $\overline{CF}$ sont des diamètres du cercle de centre O. $\overline{AD} \cong \overline{BE} \cong \overline{CF}$
32.	Dans un cercle, la mesure du rayon est égale à la demi-mesure du diamètre.	$\overline{AB}$ est un diamètre du cercle de centre O. $\text{m } \overline{OA} = \frac{1}{2} \text{ m } \overline{AB}$
33.	Dans un cercle, le rapport de la circonférence au diamètre est une constante que l'on note π.	$\frac{C}{d} = \pi$
34.	Dans un cercle, l'angle au centre a la même mesure en degrés que celle de l'arc compris entre ses côtés.	Dans le cercle de centre O, $\text{m} \angle AOB = \text{m } \overarc{AB}$ exprimées en degrés.
35.	Dans un cercle, le rapport des mesures de deux angles au centre est égal au rapport des mesures des arcs interceptés entre leurs côtés.	$\dfrac{\text{m} \angle AOB}{\text{m} \angle COD} = \dfrac{\text{m } \overarc{AB}}{\text{m } \overarc{CD}}$
36.	Dans un disque, le rapport des aires de deux secteurs est égal au rapport des mesures des angles au centre de ces secteurs.	$\dfrac{\text{aire du secteur AOB}}{\text{aire du secteur COD}} = \dfrac{\text{m} \angle AOB}{\text{m} \angle COD}$
37.	Dans un triangle rectangle, le carré de la mesure de l'hypoténuse est égal à la somme des carrés des mesures des cathètes.	$\left(\text{m } \overline{AB} \right)^2 = \left(\text{m } \overline{AC} \right)^2 + \left(\text{m } \overline{BC} \right)^2$
38.	Deux triangles qui ont leurs côtés homologues isométriques sont isométriques (CCC).	$\overline{AB} \cong \overline{DE}$, $\overline{BC} \cong \overline{EF}$, $\overline{AC} \cong \overline{DF}$ Donc $\triangle ABC \cong \triangle DEF$.
39.	Deux triangles qui ont un côté isométrique compris entre des angles homologues isométriques sont isométriques (ACA).	$\angle A \cong \angle D$, $\overline{AB} \cong \overline{DE}$, $\angle B \cong \angle E$ Donc $\triangle ABC \cong \triangle DEF$.

Énoncé	Exemple
40. Deux triangles qui ont un angle isométrique compris entre des côtés homologues isométriques sont isométriques (CAC).	$\overline{AB} \cong \overline{DE}$, $\angle A \cong \angle D$, $\overline{AC} \cong \overline{DF}$ Donc $\triangle ABC \cong \triangle DEF$.
41. Deux triangles qui ont deux angles homologues isométriques sont semblables (AA).	$\angle A \cong \angle D$, $\angle B \cong \angle E$ Donc $\triangle ABC \sim \triangle DEF$.
42. Deux triangles qui ont un angle isométrique compris entre des côtés homologues de longueurs proportionnelles sont semblables (CAC).	$\dfrac{m\,\overline{AB}}{m\,\overline{DE}} = \dfrac{m\,\overline{AC}}{m\,\overline{DF}}$ et $\angle A \cong \angle D$. Donc $\triangle ABC \sim \triangle DEF$.
43. Deux triangles dont les mesures des côtés homologues sont proportionnelles sont semblables (CCC).	$\dfrac{m\,\overline{AB}}{m\,\overline{DE}} = \dfrac{m\,\overline{AC}}{m\,\overline{DF}} = \dfrac{m\,\overline{BC}}{m\,\overline{EF}}$ Donc $\triangle ABC \sim \triangle DEF$.
44. Des sécantes coupées par des parallèles sont partagées en segments de longueurs proportionnelles.	$\dfrac{m\,\overline{AB}}{m\,\overline{FE}} = \dfrac{m\,\overline{BC}}{m\,\overline{ED}}$

Énoncé	Exemple
45. Dans un triangle rectangle, la mesure de chaque côté de l'angle droit est moyenne proportionnelle entre la mesure de sa projection sur l'hypoténuse et celle de l'hypoténuse entière.	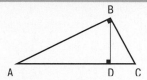 $$\frac{m\ \overline{AD}}{m\ \overline{AB}} = \frac{m\ \overline{AB}}{m\ \overline{AC}} \text{ ou } (m\ \overline{AB})^2 = m\ \overline{AD} \times m\ \overline{AC}$$ $$\frac{m\ \overline{CD}}{m\ \overline{BC}} = \frac{m\ \overline{BC}}{m\ \overline{AC}} \text{ ou } (m\ \overline{BC})^2 = m\ \overline{CD} \times m\ \overline{AC}$$
46. Dans un triangle rectangle, la mesure de la hauteur issue du sommet de l'angle droit est moyenne proportionnelle entre les mesures des deux segments qu'elle détermine sur l'hypoténuse.	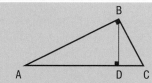 $$\frac{m\ \overline{AD}}{m\ \overline{BD}} = \frac{m\ \overline{BD}}{m\ \overline{CD}} \text{ ou } (m\ \overline{BD})^2 = m\ \overline{AD} \times m\ \overline{CD}$$
47. Dans un triangle rectangle, le produit des mesures de l'hypoténuse et de la hauteur correspondante égale le produit des mesures des côtés de l'angle droit.	$$m\ \overline{AC} \times m\ \overline{BD} = m\ \overline{AB} \times m\ \overline{BC}$$
48. Dans un triangle rectangle, la mesure du côté opposé à un angle de 30° est égale à la moitié de celle de l'hypoténuse.	$$m\ \overline{AC} = \frac{m\ \overline{AB}}{2}$$ 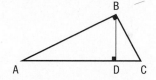
49. Les mesures des côtés d'un triangle sont proportionnelles au sinus des angles opposés à ces côtés.	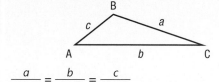 $$\frac{a}{\sin A} = \frac{b}{\sin B} = \frac{c}{\sin C}$$

Repères

A

Abscisse
Nombre qui correspond à la première coordonnée d'un point dans un plan cartésien.
Ex.: L'abscisse du point (5, –2) est 5.

Abscisse à l'origine
Dans un plan cartésien, abscisse d'un point d'intersection d'une courbe et de l'axe des abscisses.

Aire
Mesure d'une surface délimitée par une figure. On exprime l'aire d'une figure en unités carrées.

Aire d'un carré
$$A_{carré} = c \times c = c^2$$

Aire d'un cône circulaire droit
$$A_{cône\ circulaire\ droit} = \pi r^2 + \pi r a$$

Aire d'un disque
$$A_{disque} = \pi r^2$$

Aire d'un losange
$$A_{losange} = \frac{D \times d}{2}$$
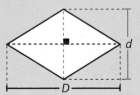

Aire d'un parallélogramme
$$A_{parallélogramme} = b \times h$$
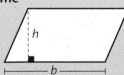

Aire d'un polygone régulier
$$A_{polygone\ régulier} = \frac{(périmètre\ du\ polygone) \times (apothème)}{2}$$

Aire d'un rectangle
$$A_{rectangle} = b \times h$$
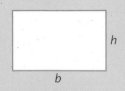

Aire d'un secteur
$$\frac{mesure\ de\ l'angle\ au\ centre\ du\ secteur}{360°} = \frac{aire\ du\ secteur}{\pi r^2}$$
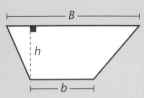

Aire d'un trapèze
$$A_{trapèze} = \frac{(B + b) \times h}{2}$$
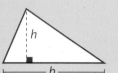

Aire d'un triangle
$$A_{triangle} = \frac{b \times h}{2}$$

Aire d'une sphère
$$A_{sphère} = 4\pi r^2$$

Angle

Classification des angles selon leur mesure

Nom	Mesure	Représentation
Nul	0°	
Aigu	Entre 0° et 90°	
Droit	90°	
Obtus	Entre 90° et 180°	
Plat	180°	
Rentrant	Entre 180° et 360°	
Plein	360°	

Angle au centre
Angle formé de deux rayons dans un cercle. Le sommet de l'angle correspond au centre du cercle.

Angles
alternes-externes, p. 156 (énoncés 7, 8)
alternes-internes, p. 156 (énoncés 7, 8)
complémentaires, p. 156 (énoncé 5)
correspondants, p. 156 (énoncé 8)
opposés par le sommet, p. 156 (énoncé 6)
supplémentaires, p. 156 (énoncés 4, 9)

Apothème d'un cône circulaire droit
Segment ou mesure d'un segment reliant l'apex au pourtour de la base.
Ex.:

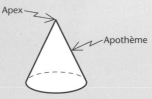

Apothème d'un polygone régulier
Segment perpendiculaire ou mesure du segment perpendiculaire mené du centre d'un polygone régulier au milieu d'un des côtés de ce polygone.
Ex.:

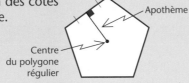

Apothème d'une pyramide régulière
Segment abaissé perpendiculairement de l'apex sur un des côtés du polygone formant la base de cette pyramide. Il correspond à la hauteur du triangle formant une face latérale.
Ex.:

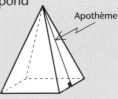

Arbre, p. 36

Arbre de probabilités, p. 83

Arbre de valeurs minimales ou maximales, p. 49

Arc, p. 36

Arc cosinus
Opération qui permet de calculer la mesure d'un angle à partir de la valeur du cosinus de cet angle. Arc cosinus peut aussi s'écrire $\cos^{-1}$.

Arc de cercle
Portion de cercle délimitée par deux points.

Arc sinus
Opération qui permet de calculer la mesure d'un angle à partir de la valeur du sinus de cet angle. Arc sinus peut aussi s'écrire $\sin^{-1}$.

Arc tangente
Opération qui permet de calculer la mesure d'un angle à partir de la valeur de la tangente de cet angle. Arc tangente peut aussi s'écrire $\tan^{-1}$.

Arête
 d'un graphe, p. 14
 d'un solide, p. 7

Axe des abscisses (axe des x)
Droite graduée qui permet de déterminer l'abscisse d'un point dans un plan cartésien.

Axe des ordonnées (axe des y)
Droite graduée qui permet de déterminer l'ordonnée d'un point dans un plan cartésien.

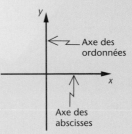

B

Boucle, p. 14

Boule
Portion d'espace limitée par une sphère.

C

Capacité
Volume de la matière liquide, ou pouvant se manipuler comme un liquide, qu'un solide ou un récipient peut contenir.

Carré
Quadrilatère ayant tous ses côtés isométriques et tous ses angles isométriques.
Ex.:

Cathète
Côté qui forme l'angle droit d'un triangle rectangle.

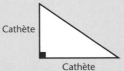

Cercle
Ligne fermée dont tous les points sont situés à égale distance d'un même point appelé centre.

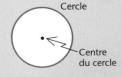

Chaîne, p. 25

Chaîne
 de valeur minimale, p. 49
 eulérienne, p. 26
 hamiltonienne, p. 26
 simple, p. 25

Chemin, p. 36

Chemin critique, p. 51

Circonférence
Longueur ou périmètre d'un cercle. Dans un cercle dont la circonférence est C, le diamètre est d et le rayon est r : C = πd et C = 2πr.

Circuit, p. 36

Coefficient d'un terme
Facteur précédant la ou les variables d'un terme.
Ex.: Dans l'expression algébrique
x + 6xy − 4,7y, 1, 6 et −4,7 sont les coefficients du premier, du deuxième et du troisième terme.

Cône circulaire droit
Solide constitué de deux faces : un disque et un secteur. Le disque correspond à la base et le secteur, à la face latérale.

Connecteur logique, p. 90

Coordonnées d'un point
Chacun des deux nombres décrivant la position d'un point dans un plan cartésien.

Cosinus d'un angle
Dans un triangle rectangle dont A est le sommet d'un angle aigu :

$$\cos A = \frac{\text{mesure de la cathète adjacente à } \angle A}{\text{mesure de l'hypoténuse}}$$

Cycle, p. 25

Cycle
  eulérien, p. 26
  hamiltonien, p. 26
  simple, p. 25

Cylindre circulaire droit
Solide constitué de trois faces : deux disques isométriques et un rectangle. Les disques correspondent aux bases et le rectangle, à la face latérale.

D

Degré d'un monôme
Somme des exposants des variables qui composent le monôme.
Ex.: 1) Le degré du monôme 9 est 0.
     2) Le degré du monôme −7xy est 2.
     3) Le degré du monôme 15a² est 2.

Degré d'un polynôme à une variable
Plus grand exposant affecté à la variable du polynôme.
Ex.: Le degré du polynôme $7x^3 - x^2 + 4$ est 3.

Degré d'un sommet d'un graphe, p. 14

Demi-plan
Dans un plan cartésien, représentation graphique de l'ensemble-solution d'une inéquation du premier degré à deux variables.

Diagramme
  de Venn, p. 90
  en arbre, p. 6

Diamètre
Segment ou longueur d'un segment reliant deux points d'un cercle et passant par le centre du cercle.

Disque
Région du plan délimitée par un cercle.

Distance entre deux points
Dans un plan cartésien, la distance d entre les points A(x_1, y_1) et B(x_2, y_2) se calcule à l'aide de la formule $d = \sqrt{(x_2 - x_1)^2 + (y_2 - y_1)^2}$.

Distance entre deux sommets d'un graphe, p. 25

E

Équation
Énoncé mathématique comportant une ou des variables et une relation d'égalité.
Ex.: 4x − 8 = 4

Équations équivalentes

Équations ayant les mêmes solutions.

Ex.: $2x = 10$ et $3x = 15$ sont des équations équivalentes, car 5 est la solution de chacune de ces équations.

Événement, p. 82

Événement élémentaire, p. 82

Événements

dépendants, p. 91
indépendants, p. 91
mutuellement exclusifs, p. 91
non mutuellement exclusifs, p. 91

Expérience aléatoire, p. 82, 83

Exponentiation

Opération qui consiste à affecter une base d'un exposant.
Ex.: Dans 5^8, la base est 5 et l'exposant est 8.

Face, p. 7

Figure image

Figure obtenue par une transformation géométrique appliquée à une figure initiale.

Figure initiale

Figure à laquelle on applique une transformation géométrique.

Figures planes équivalentes

Figures qui ont la même aire, peu importe leur forme.

Figures semblables

Deux figures sont semblables si l'une est un agrandissement, une réduction ou la reproduction exacte de l'autre.

Fonction

Relation entre deux variables dans laquelle à chaque valeur de la variable indépendante est associée au plus une valeur de la variable dépendante.

Fonction à optimiser

Fonction dont la règle s'écrit $z = ax + by + c$, qui permet de comparer des couples (x, y) et de déterminer, parmi ces couples, celui qui constitue la solution la plus avantageuse en tenant compte de l'objectif visé.

Formule de Héron

Formule qui permet de calculer l'aire d'un triangle d'après les mesures de ses trois côtés. Pour le triangle ci-contre,

$A_{\text{triangle}} = \sqrt{p(p-a)(p-b)(p-c)}$, où p représente le demi-périmètre du triangle, soit $p = \dfrac{a+b+c}{2}$.

Formule trigonométrique

Formule qui permet de calculer l'aire d'un triangle d'après les mesures de deux de ses côtés ainsi que la mesure de l'angle compris entre ces côtés. Pour le triangle ci-dessous,

$A_{\text{triangle}} = \dfrac{a \times b \times \sin C}{2}$.

G

Graphe, p. 14

Graphe

complet, p. 15
connexe, p. 15
orienté, p. 36
valué, p. 36

H

Hauteur d'un triangle

Segment ou longueur du segment abaissé perpendiculairement d'un sommet sur le côté opposé ou son prolongement.
Ex.:

Hauteur

Homothétie

Dans un plan cartésien, une homothétie h dont le centre O correspond à l'origine du plan et le rapport non nul est a peut être définie à l'aide d'une règle de la forme $h_{(O, a)} : (x, y) \mapsto (ax, ay)$.

Hypoténuse

Côté opposé à l'angle droit d'un triangle rectangle. C'est le plus long côté d'un triangle rectangle.

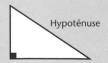

Hypoténuse

Inégalité
Énoncé mathématique qui permet la comparaison entre deux expressions numériques à l'aide d'un symbole d'inégalité.
Ex. : 1) $4 < 4,2$
  2) $-10 \le -5$

Inéquation
Énoncé mathématique comportant une ou des variables et un symbole d'inégalité.
Ex. : 1) $4a > 100$
  2) $a - 17 \ge 58 - b$

Intersection de deux ensembles, p. 90

Intervalle
Ensemble des nombres compris entre deux nombres appelés bornes.
Ex. : L'intervalle des nombres réels allant de -2 inclus à 9 exclu est [-2, 9[.

Lignes équivalentes
Lignes qui ont la même longueur, peu importe leur forme.

Loi
Produit de puissances Pour $a \ne 0$: $\quad a^m \times a^n = a^{m+n}$
Quotient de puissances Pour $a \ne 0$: $\quad \dfrac{a^m}{a^n} = a^{m-n}$
Puissance d'un produit Pour $a \ne 0$ et $b \ne 0$: $\quad (ab)^m = a^m b^m$
Puissance d'une puissance Pour $a \ne 0$: $\quad (a^m)^n = a^{mn}$
Puissance d'un quotient Pour $a \ne 0$ et $b \ne 0$: $\quad \left(\dfrac{a}{b}\right)^m = \dfrac{a^m}{b^m}$

Loi des sinus, p. 161 (énoncé 49)

Longueur d'une chaîne, p. 25

Losange
Parallélogramme ayant tous ses côtés isométriques.
Ex. :

Médiane d'un triangle
Segment reliant un sommet au milieu du côté opposé.
Ex. : Les segments AE, BF et CD sont les médianes du triangle ABC.

Médiatrice
Droite perpendiculaire à un segment en son milieu. La médiatrice est aussi un axe de symétrie d'un segment.
Ex. :

Méthode de Borda, p. 111, 121, 122

Monôme
Expression algébrique formée d'un seul terme.
Ex. : 9, $-5x^2$ et $4xy$ sont des monômes.

Moyenne pondérée, p. 90

Nombre chromatique, p. 50

Nombre entier
Nombre appartenant à l'ensemble $\mathbb{Z} = \{..., -2, -1, 0, 1, 2, ...\}$.

Nombre irrationnel
Nombre qui ne peut pas s'exprimer comme un quotient d'entiers et dont le développement décimal est infini et non périodique.

Nombre naturel
Nombre appartenant à l'ensemble $\mathbb{N} = \{0, 1, 2, 3, ...\}$.

Nombre rationnel
Nombre qui peut être écrit sous la forme $\dfrac{a}{b}$ où a et b sont des nombres entiers, et b est différent de 0. Sous la forme décimale, le développement est fini ou infini et périodique.

Nombre réel
Nombre qui appartient à l'ensemble des nombres rationnels ou à l'ensemble des nombres irrationnels.

Notation scientifique
Notation qui facilite la lecture et l'écriture des très grands nombres et des très petits nombres.
Ex.: 1) $56\ 000\ 000 = 5,6 \times 10^7$
2) $0,000\ 000\ 008 = 8 \times 10^{-9}$

Ordonnée
Nombre qui correspond à la seconde coordonnée d'un point dans le plan cartésien.
Ex.: L'ordonnée du point (5, -2) est -2.

Ordonnée à l'origine
Dans un plan cartésien, ordonnée d'un point d'intersection d'une courbe et de l'axe des ordonnées.

Ordre d'un graphe, p. 14

Origine d'un plan cartésien
Point d'intersection des deux axes d'un plan cartésien. Les coordonnées de l'origine sont (0, 0).

Parallélogramme
Quadrilatère ayant deux paires de côtés opposés parallèles.
Ex.: $\overline{AB}\ /\!/\ \overline{CD}$
$\overline{AD}\ /\!/\ \overline{BC}$

Pente
Nombre qui caractérise l'inclinaison d'un segment ou d'une droite. Dans un plan cartésien, la pente p du segment ou de la droite passant par les points $A(x_1, y_1)$ et $B(x_2, y_2)$ se calcule à l'aide de la formule $p = \dfrac{y_2 - y_1}{x_2 - x_1}$.

Périmètre
Longueur de la ligne fermée qui correspond à la frontière d'une figure plane. Le périmètre s'exprime en unités de longueur.

Plan cartésien
Plan muni d'un système de repérage formé de deux droites graduées qui se coupent perpendiculairement.

Polyèdre, p. 7

Polygone, p. 7

Polygone de contraintes
Représentation graphique de l'ensemble-solution d'un système d'inéquations du premier degré à deux variables traduisant un ensemble de contraintes. Le polygone est dit borné lorsque la figure qui lui est associée est fermée. Autrement, le polygone est dit non borné.

Polygone régulier
Polygone dont tous les côtés sont isométriques et dont tous les angles sont isométriques.

Polynôme
Expression algébrique comportant un ou plusieurs termes.
Ex.: $x^3 + 4x^2 - 18$

Principe de Condorcet, p. 111, 121

Prisme
Polyèdre ayant deux faces isométriques et parallèles appelées bases.
Les parallélogrammes qui relient ces deux bases sont appelés faces latérales.
Ex.: Prisme à base triangulaire.

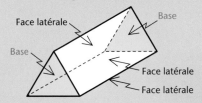

Prisme droit
Prisme dont les faces latérales sont des rectangles.
Ex.: Prisme droit à base trapézoïdale.

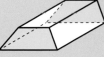

Prisme régulier
Prisme droit dont la base est un polygone régulier.
Ex.: Prisme régulier à base heptagonale.

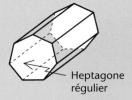

Probabilité
conditionnelle, p. 100
d'un événement, p. 82

Procédures de vote, p. 111, 112

Proportion
Égalité entre deux rapports ou deux taux.
Ex.: 1) $3 : 11 = 12 : 44$

2) $\dfrac{7}{5} = \dfrac{14}{10}$

Pyramide
Polyèdre constitué d'une seule
base ayant la forme d'un polygone
et dont les faces latérales sont
des triangles ayant un sommet
commun appelé l'apex.
Ex.: Pyramide à base
octogonale.

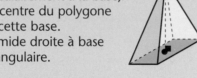

Apex

Face latérale

Base

Pyramide droite
Pyramide dont le segment
abaissé depuis l'apex,
perpendiculairement à la base,
arrive au centre du polygone
formant cette base.
Ex.: Pyramide droite à base
rectangulaire.

Pyramide régulière
Pyramide droite dont la base
est un polygone régulier.
Ex.: Pyramide régulière à base
hexagonale.

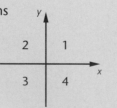

Hexagone régulier

Q

Quadrant
Chacune des quatre régions
délimitées par les axes
d'un plan cartésien.
Les quadrants sont
numérotés de 1 à 4.
Ex.:

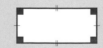

R

Racine carrée
L'opération inverse de celle qui consiste
à élever un nombre positif au carré est appelée
l'extraction de la racine carrée. Le symbole de
cette opération est $\sqrt{\ }$.
Ex.: La racine carrée de 25, notée $\sqrt{25}$, est 5.

Radical   Radicande

Racine cubique
L'opération inverse de celle qui consiste
à élever un nombre au cube est appelée
l'extraction de la racine cubique. Le symbole
de cette opération est $\sqrt[3]{\ }$.
Ex.: 1) $\sqrt[3]{125} = 5$

2) $\sqrt[3]{-8} = -2$

Rapport
Mode de comparaison entre deux quantités
ou deux grandeurs de même nature
exprimées dans les mêmes unités et qui fait
intervenir la notion de division.

Rapport de similitude
Rapport des mesures des segments
homologues de deux figures semblables.

Rayon
Le rayon est un segment ou la longueur
d'un segment reliant un point quelconque
d'un cercle à son centre.

Rayon

Rectangle
Quadrilatère ayant quatre angles droits
et deux paires de côtés opposés
isométriques.
Ex.:

Réflexion

Dans un plan cartésien, une réflexion *s* par rapport :

- à l'axe des abscisses peut être définie à l'aide d'une règle de la forme $s_x : (x, y) \mapsto (x, -y)$;
- à l'axe des ordonnées peut être définie à l'aide d'une règle de la forme $s_y : (x, y) \mapsto (-x, y)$.

Règle

Équation qui traduit une régularité entre des variables.

Règle

de la majorité, p. 111, 121
de la pluralité, p. 111, 121, 122

Règles de transformation des équations

Règles qui permettent d'obtenir des équations équivalentes. On conserve la ou les solutions d'une équation :

- en additionnant ou en soustrayant le même nombre aux deux membres de l'équation ;
- en multipliant ou en divisant les deux membres de l'équation par un même nombre différent de 0.

Règles de transformation des inéquations

Règles qui permettent d'obtenir des inéquations équivalentes.

- Additionner ou soustraire un même nombre aux deux membres d'une inéquation conserve le sens de cette inéquation.
- Multiplier ou diviser les deux membres d'une inéquation par un même nombre strictement positif conserve le sens de cette inéquation.
- Multiplier ou diviser les deux membres d'une inéquation par un même nombre strictement négatif inverse le sens de cette inéquation.

Relation

Lien entre deux variables.

Relation de Pythagore, p. 159 (énoncé 37)

Relations métriques, p. 161 (énoncés 45, 46, 47)

Réseau, p. 6

Réunion de deux ensembles, p. 90

Rotation

Dans un plan cartésien, une rotation *r* autour de l'origine O :

- de -90° ou de 270° peut être définie à l'aide d'une règle de la forme $r_{(O, -90°)}$ ou $r_{(O, 270°)}$: $(x, y) \mapsto (y, -x)$;
- de 90° ou de -270° peut être définie à l'aide d'une règle de la forme $r_{(O, 90°)}$ ou $r_{(O, -270°)}$: $(x, y) \mapsto (-y, x)$;
- de -180° ou de 180° peut être définie à l'aide d'une règle de la forme $r_{(O, -180°)}$ ou $r_{(O, 180°)}$: $(x, y) \mapsto (-x, -y)$.

S

Scrutin, p. 111

Scrutin

majoritaire, p. 121
proportionnel, p. 112, 121, 122

Secteur

Portion de disque délimitée par deux rayons.

Section d'un solide

Face obtenue par un plan qui coupe un solide.
Ex. :

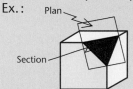

La section obtenue par l'intersection de ce plan et du cube est un triangle.

Sinus d'un angle

Dans un triangle rectangle dont A est le sommet d'un angle aigu :

$$\sin A = \frac{\text{mesure de la cathète opposée à } \angle A}{}$$

Solide, p. 7

Solides équivalents
Solides qui ont le même volume, peu importe leur forme.

Sommet
d'un graphe, p. 14
d'un polygone, p. 7
d'un solide, p. 7

Sphère
Surface dont tous les points sont situés à égale distance d'un point appelé centre.

Centre — Sphère

Superficie
Synonyme de « aire ».

Système d'équations
Ensemble composé d'au moins deux équations.

Système d'inéquations
Ensemble composé d'au moins deux inéquations.

Tangente d'un angle
Dans un triangle rectangle dont A est le sommet d'un angle aigu :

$$\tan A = \frac{\text{mesure de la cathète opposée à } \angle A}{\text{mesure de la cathète adjacente à } \angle A}$$

Taux
Mode de comparaison entre deux quantités ou deux grandeurs, généralement de nature différente, exprimées à l'aide d'unités différentes et qui fait intervenir la notion de division.

Terme algébrique
Un terme peut être composé uniquement d'un nombre ou d'un produit de nombres et de variables.
Ex. : 9, x et $3xy^2$ sont des termes.

Termes semblables
Termes composés des mêmes variables affectées des mêmes exposants ou termes constants.
Ex. : 1) $8ax^2$ et ax^2 sont des termes semblables.
2) 8 et 17 sont des termes semblables.

Transformation géométrique
Transformation qui permet d'associer, à toute figure initiale, une figure image.

Translation
Dans un plan cartésien, une translation t de a unités parallèlement à l'axe des abscisses et de b unités parallèlement à l'axe des ordonnées peut être définie à l'aide d'une règle de la forme $t_{(a, b)} : (x, y) \mapsto (x + a, y + b)$.

Trapèze
Quadrilatère ayant une paire de côtés parallèles.
Ex. : $\overline{AB} \parallel \overline{CD}$

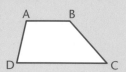

Trapèze isocèle
Trapèze ayant deux côtés isométriques.
Ex. :

Trapèze rectangle
Trapèze ayant deux angles droits.
Ex. :

Triangle
Polygone ayant trois côtés.

Classification des triangles

Caractéristique	Nom	Représentation
Aucun côté isométrique	Scalène	
Deux côtés isométriques	Isocèle	
Tous les côtés isométriques	Équilatéral	
Trois angles aigus	Acutangle	
Un angle obtus	Obtusangle	
Un angle droit	Rectangle	
Deux angles isométriques	Isoangle	
Tous les angles isométriques	Équiangle	

U

Unités d'aire
Le mètre carré est l'unité d'aire de base du SI.

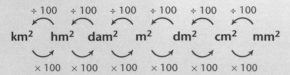

Unités de capacité
Le litre est l'unité de capacité de base.

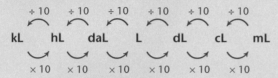

Unités de longueur
Le mètre est l'unité de longueur de base du SI.

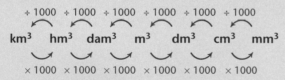

Unités de volume
Le mètre cube est l'unité de volume de base du SI.

$$\div 1000 \quad \div 1000 \quad \div 1000 \quad \div 1000 \quad \div 1000 \quad \div 1000$$

km³   hm³   dam³   m³   dm³   cm³   mm³

$$\times 1000 \quad \times 1000 \quad \times 1000 \quad \times 1000 \quad \times 1000 \quad \times 1000$$

Univers des résultats possibles, p. 82

V

Valeur
d'un chemin, p. 36
d'une chaîne, p. 36

Variable
Symbole qui peut prendre différentes valeurs. Les symboles utilisés sont généralement des lettres.

Volume
Mesure de l'espace occupé par un solide. On exprime le volume d'un solide en unités cubes.

Volume d'un cône circulaire droit
$$V_{\text{cône}} = \frac{(\text{aire de la base}) \times (\text{hauteur})}{3}$$

Volume d'un cylindre circulaire droit
$$V_{\text{cylindre circulaire droit}} = (\text{aire de la base}) \times (\text{hauteur})$$

Volume d'un prisme droit
$$V_{\text{prisme droit}} = (\text{aire de la base}) \times (\text{hauteur})$$

Volume d'une boule
$$V_{\text{boule}} = \frac{4\pi r^3}{3}$$

Volume d'une pyramide droite
$$V_{\text{pyramide}} = \frac{(\text{aire de la base}) \times (\text{hauteur})}{3}$$

Vote
par assentiment, p. 112, 121
par élimination, p. 112, 121

Crédits photographiques

H Haut   **B** Bas   **G** Gauche   **D** Droite   **M** Milieu   **FP** Fond de page

Couverture
© Comstock Select/Corbis

Vision 3

3 HD © Gerard Lodriguss/Photo Researchers/Publiphoto **3 MG** © Seth Resnick/Science Faction/Corbis **3 HG** © David Jay Zimmerman/Corbis **3 MD** © Dreamstime **5 BD** *Portrait of the Mathematician Leonhard Euler*, huile sur canevas, artiste anonyme/State Central Artillery Museum, St. Petersburg/The Bridgeman Art Library **8 MD** © Robert Holmes/CORBIS **9 B** © iStockphoto **11 HD** © Biosphoto/Sylvain Cordier/Peter Arnold Inc. **12 MD** © Archives de la STM **13 B** © Acitore/Dreamstime **17 BD** © Dreamstime **21 MD** © David Nagy/Shutterstock **21 B** © BESTWEB/Shutterstock **22 HD** © Detlev van Ravenswaay/SPL/Publiphoto **22 BD** © T. Dudok de Wit **23 BD** © Pichugin Dmitry/Shutterstock **24 B** © iStockphoto **29 MD** Domaine public **31 HG** © iStockphoto **32 BD** © Maridav/Shutterstock **33 B** © iStockphoto **34 B** © iStockphoto **35 MD** © Cpimages **35 B** © Tyler Olson/Shutterstock **38 BD** © Radius Images/Corbis **40 MD** © Chris Jenner/Shutterstock **41 B** © Howard Sandler/Shutterstock **42 B** © Galyna Andrushko/Shutterstock **43 MD** © Albert Barr/Shutterstock **46 HD** The Bridgeman Art Library/Getty Images **46 MD** Hulton Archive/Getty Images **47 H** © 2008 Strait Crossing Bridge Limited **53 HD** © dgbomb/Shutterstock **54 MD** © Rob Wilson/Shutterstock **55 M** © iStockphoto **56 BD** © dbimages/Alamy **58 B** © kmiragaya/Shutterstock **60 HG** © Gena Hahn **61 HD** © Koshevnyk/Shutterstock **62 HD** © iStockphoto **63 HD** © Hans Neleman/Corbis **63 BD** © yuyangc/Shutterstock **64 MD** © Blaz Kure/Shutterstock **66 MD** © Radhoose/Shutterstock **67 B** © Bettmann/Corbis **71 M** © ZUMA Press/KEYSTONE Press **72 B** © Jacques Langevin/Sygma/Corbis **73 HD** © Corbis **76 MG** © iStockphoto **76 BD** © Maïenga

Vision 4

79 HG © Andrew Paterson/Alamy **79 HD** © iStockphoto **79 MG** © iStockphoto **79 MD** © Megapress **81 BD** © iStockphoto **84 M** © Duane Raver/Corbis **85 BD** avec la permission de la Société de l'assurance automobile du Québec **86 HD** © Maksim Shmeljov/Shutterstock **87 MD** gracieuseté du History of Medicine/The National Library of Medicine **89 BD** © stoyanvassev/Shutterstock **92 MD** © pavelr/Shutterstock **92 BG** © vikiri/Shutterstock **92 BD** © Neil Farrin/JAI/Corbis **93 MD** © iStockphoto **94 BG** © iStockphoto **96 MG** © iStockphoto **96 B** © fotofriends/Shutterstock **97 HD** © Régis Bossu/Sygma/Corbis **101 M** © Shutterstock **102 HD** © HomeStudio/Shutterstock **102 MD** © Alexander Raths/Shutterstock **103 HD** © Jeff Daly/Visuals Unlimited/Corbis **103 BD** Domaine public **105 MD** © iStockphoto **105 BD** © Hoberman Collection/Corbis **108 HD** © Fred Greenslade/Reuters/Corbis **109 BD** © VANOC/COVAN **110 BD** © Rob Zabrowski/Shutterstock **114 HD** © Marc Simon/Sygma/Corbis **115 BD** © Sergey Shustov/Shutterstock **116 MD** © Maridav/Shutterstock **118 B** © B&C Alexander/Shutterstock **119 B** © Inga Nielsen/Shutterstock **123 HD** *"Our Motion is Carried!"*, 19ᵉ siècle, œuvre de Antal Gorosy/Private Collection/Archives Charmet/The Bridgeman Art Library **124 BD** © AFP/Getty Images **127 HD** © David Cole/Alamy **128 HG** © mediacolor's/Alamy **128 MD** Scala/Art Resource, NY **128 MD** avec la permission de l'Institut national d'études démographiques, Paris **129 MG** © North Wind Picture Archives/Alamy **130 HG** Bibliothèque et Archives Canada/C-006513 **130 BD** © Tom McNemar/Shutterstock **131 HD** E10,S44,SS1,D70-163,P11/Fonds Ministère des Communications /Claire Kirkland Casgrain, ministre du Tourisme/Jules Rochon, juillet 1970/Centre d'archives du Québec **132 BD** © JCVStock/Shutterstock **133 HG** © 3D4Medical.com/Shutterstock **133 BD** © Mike Powell/Corbis **134 HD** © Image Source/Corbis **134 MD** © Megapress **134 BD** © Jupiterimages/Ablestock/Alamy **135 MG** © Paul Pickard/Alamy **136 HD** © Directeur général des élections du Québec/photographe, John Redmond **137 HD** © blueking/Shutterstock **140 BD** © Victor de Schwanberg/SPL/Publiphoto **141 B** © ABC via Getty Images **143 MD** © Destinations/Corbis